‘사고력수학의 시작’

팡세

pensées

S2

6세 | 퍼즐과 전략

사고력 수학을 묻고 팡세가 답해요

Q: 사고력 수학은 '왜' 해야 하나요?

사고력 수학은 아이에게 낯선 문제를 접하게 함으로써 여러 가지 문제 해결 방법을 아이 스스로 생각하게 하는 것에 목적이 있어요. 정석적인 한 가지 풀이법만 알고 있는 아이는 결국 중등 이후에 나오는 응용 문제에 대한 해결력이 현저히 떨어지게 되지요. 반면 사고력 수학을 통해 여러 가지 풀이법을 스스로 생각하고 알아낸 경험이 있는 아이들은 한 번 막히는 문제도 다른 방법으로 뚫어낼 힘이 생기게 된답니다. 이러한 힘을 기르는 데 있어 사고력 수학이 가장 크게 도움이 된다고 확신해요.

Q: 사고력 수학이 '필수'인가요?

No but Yes! 초등 수학에서 가장 필수적인 것은 교과와 연산이지요. 또 중등에서의 서술형 평가를 대비하기 위한 서술형 학습과 어려운 중등 도형을 헤쳐나가기 위한 도형 학습 정도를 추가하면 돼요. 사고력 수학은 그 다음으로 중요하다고 할 수 있어요. 다만 만약 중등 이후에도 상위권을 꾸준하게 유지하겠다고 하시면 사고력 수학은 필수랍니다.

Q: 사고력 수학, 꼭 '어려운' 문제를 풀어야 하나요?

No! 기존의 사고력 수학 교재가 어려운 이유는 영재교육원 입시 때문이었어요. 상위권 중에서도 더 잘하는 아이, 즉 영재를 골라내는 시험에 사고력수학 문제가 단골로 출제되었고, 이에 대비하기 위해 만들어진 것이 초창기 사고력 수학 교재이지요. 하지만 모든 아이들이 영재일 수는 없고, 또 그래야할 필요도 없어요. 사고력 수학으로 영재를 확실하게 선별할 수 있는 것도 아니에요. 따라서 사고력 수학의 원래 목적, 즉 새로운 문제를 풀 수 있는 능력만 기를 수 있다면 난이도는 중요하지 않답니다. 오히려 어려운 문제는 수학에 대한 아이들의 자신감을 떨어뜨리는 부작용이 있다는 점! 반드시 기억해야 해요.

Q: 사고력 수학 학습에서 어떤 점에 '유의'해야 할까요?

가장 중요한 것은 아이가 스스로 방법을 생각할 수 있는 시간을 충분히 주는 거예요. 엄마나 선생님이 옆에서 방법을 바로 알려주거나 해답지를 줘버리면 사고력 수학의 효과는 없는 거나 마찬가지랍니다. 설령 문제를 못 풀더라도 아이가 스스로 고민하는 습관을 가지고, 방법을 찾아가는 시간을 늘리는 것이 아이의 문제해결력과 집중력을 기르는 방법이라고 꼭 새기며 아이가 스스로 발전할 수 있는 가능성을 믿어 보세요.

또 하나 더 강조하고 싶은 것은 문제의 답을 모두 맞힐 필요가 없다는 거예요. 사고력 수학 문제를 백점 맞는다고 해서 바로 성적이 쑥쑥 오르는 것이 아니에요. 사고력 수학은 훗날 아이가 더 어려운 문제를 풀기 위한 수학적 힘을 기르는 과정으로 봐야 하는 거지요. 그러니 아이가 하나 맞히고 틀리는 것에 일희일비하지 말고 우리 아이가 문제를 어떤 방법으로 풀려고 했고, 왜 어려워 하는지 표현하게 하는 것이 훨씬 중요하답니다. 사고력 수학은 문제의 결과인 답보다 답을 찾아가는 과정 그 자체에 의미가 있다는 사실을 꼭! 꼭! 기억해 주세요.

팡세의 구성과 특징

1. 패턴, 퍼즐과 전략, 유추, 카운팅 - 새로운 시대에 맞는 새로운 사고력 영역!
2. 아이가 혼자서도 술술 풀어나가며 자신감을 기르기에 딱 좋은 난이도!
3. 하루 10분 1장만 풀어도 초등에서 꼭 키워야 하는 사고력을 쑥쑥!

일일 소주제 학습

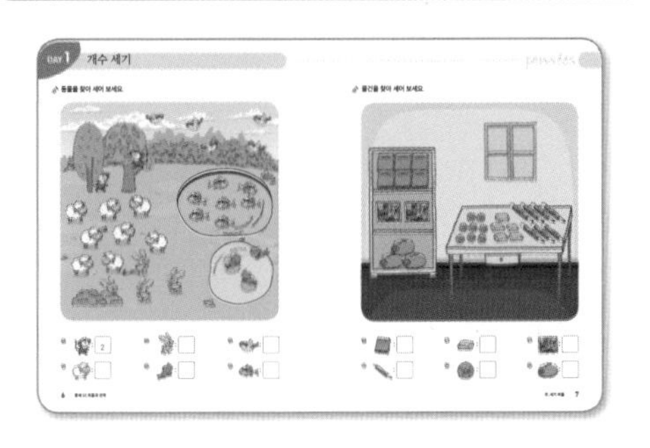

하루에 10분씩
매일 1장씩만
꾸준히 풀면 돼.

주차별 확인학습

5일 동안 배운 것 중
가장 중요한 문제를
복습하는 거야!

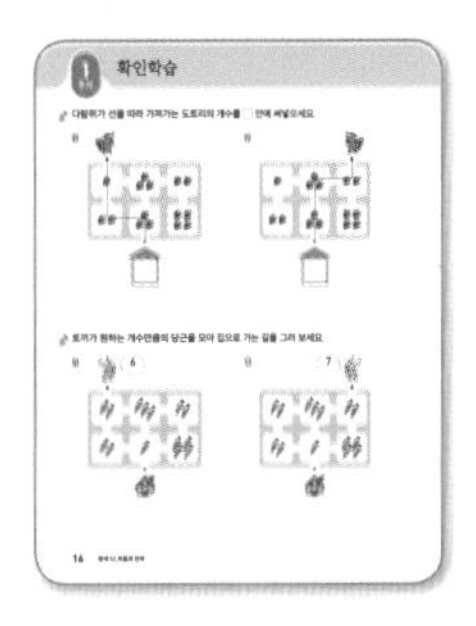

월간 마무리 평가

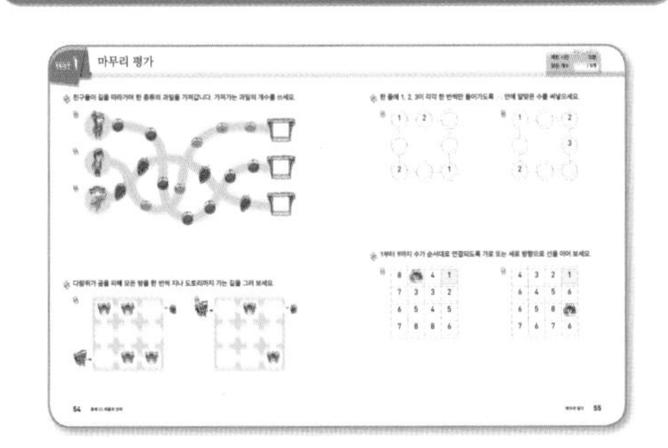

4주 동안 공부한
내용 중 어디가 부족한지
알 수 있다. 삐리삐리~

이 책의
차례

S2

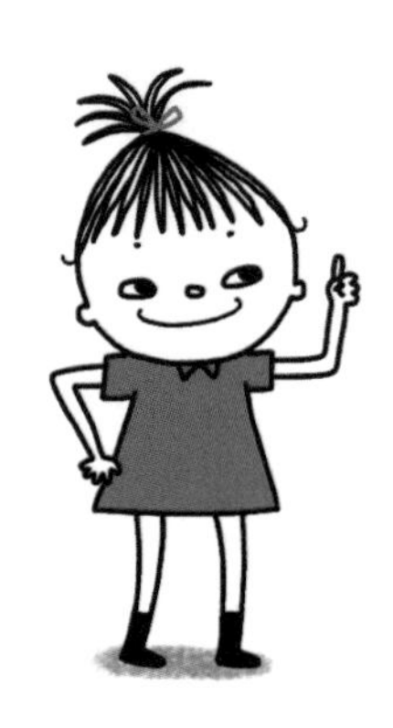

pensées

1
주차

세기 퍼즐

개수 세기

✎ 동물을 찾아 세어 보세요.

❶  :  2

❷ 

❸ 

❹  

❺ 

❻ 

물건을 찾아 세어 보세요.

⑨ 

⑪ 

⑫ 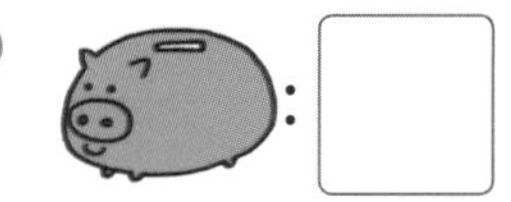

달라진 개수

그림을 보고 달라진 것의 개수를 쓰세요.

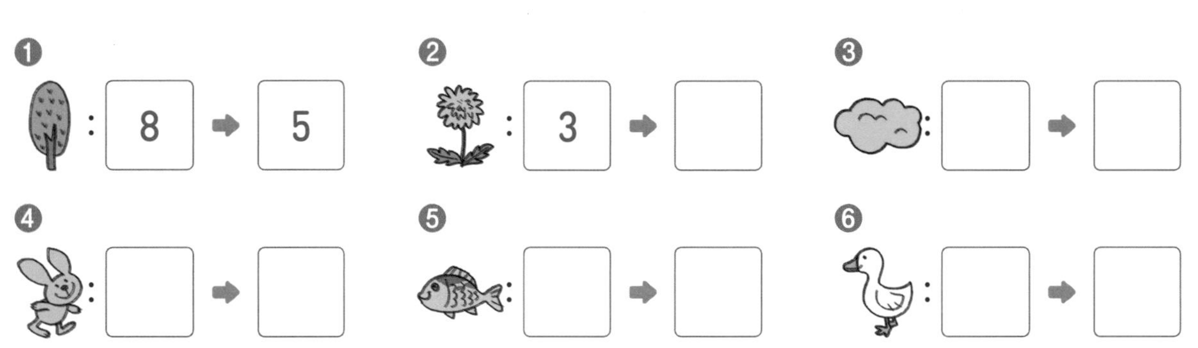

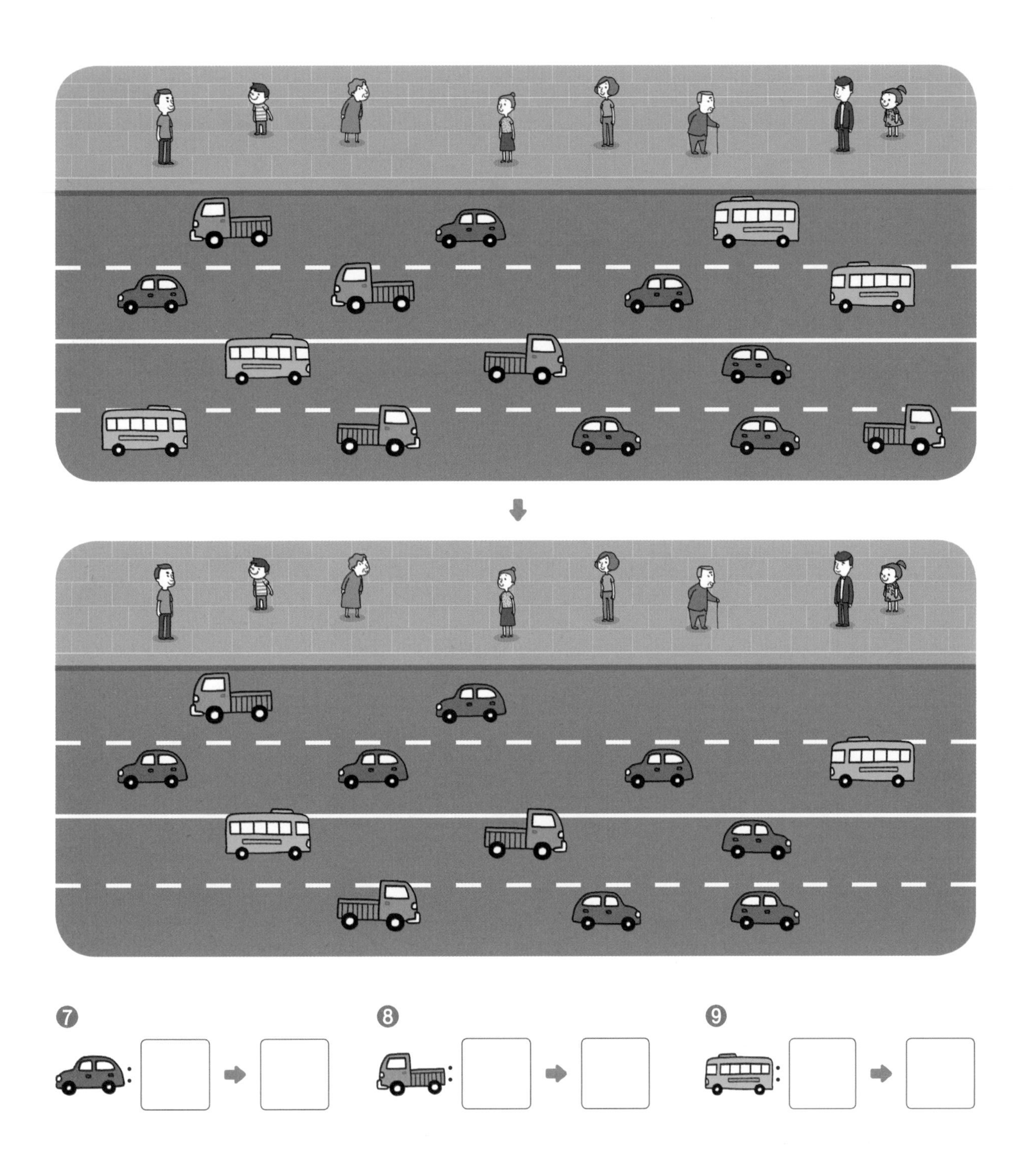

❼ : ➡

❽ : ➡

❾ : ➡

DAY 3

길 따라 개수 세기 (1)

동물들이 길을 따라가며 한 종류의 먹이를 가져갑니다. 가져가는 먹이의 개수를 쓰세요.

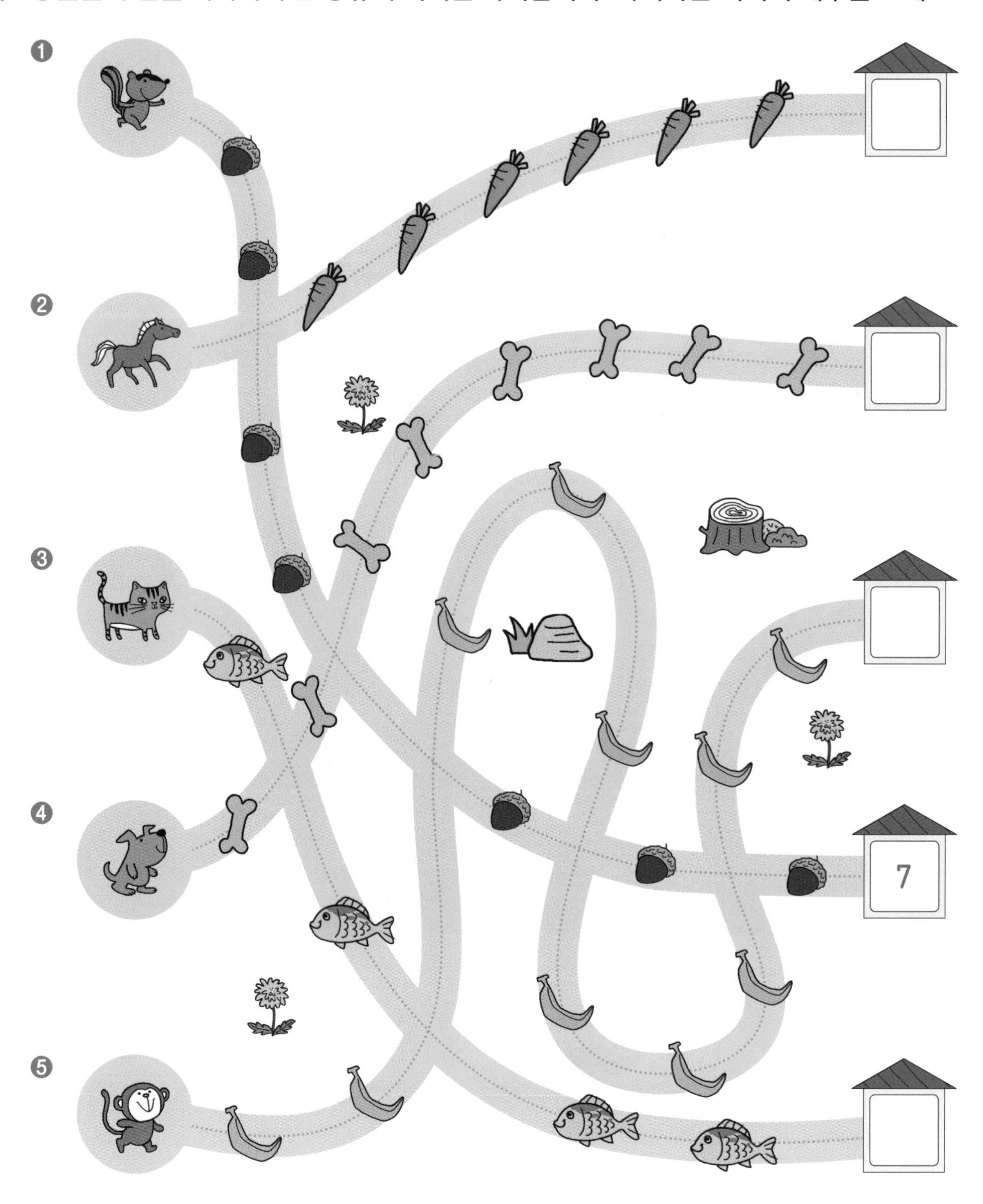

친구들이 길을 따라가며 한 종류의 과일을 가져갑니다. 가져가는 과일의 개수를 쓰세요.

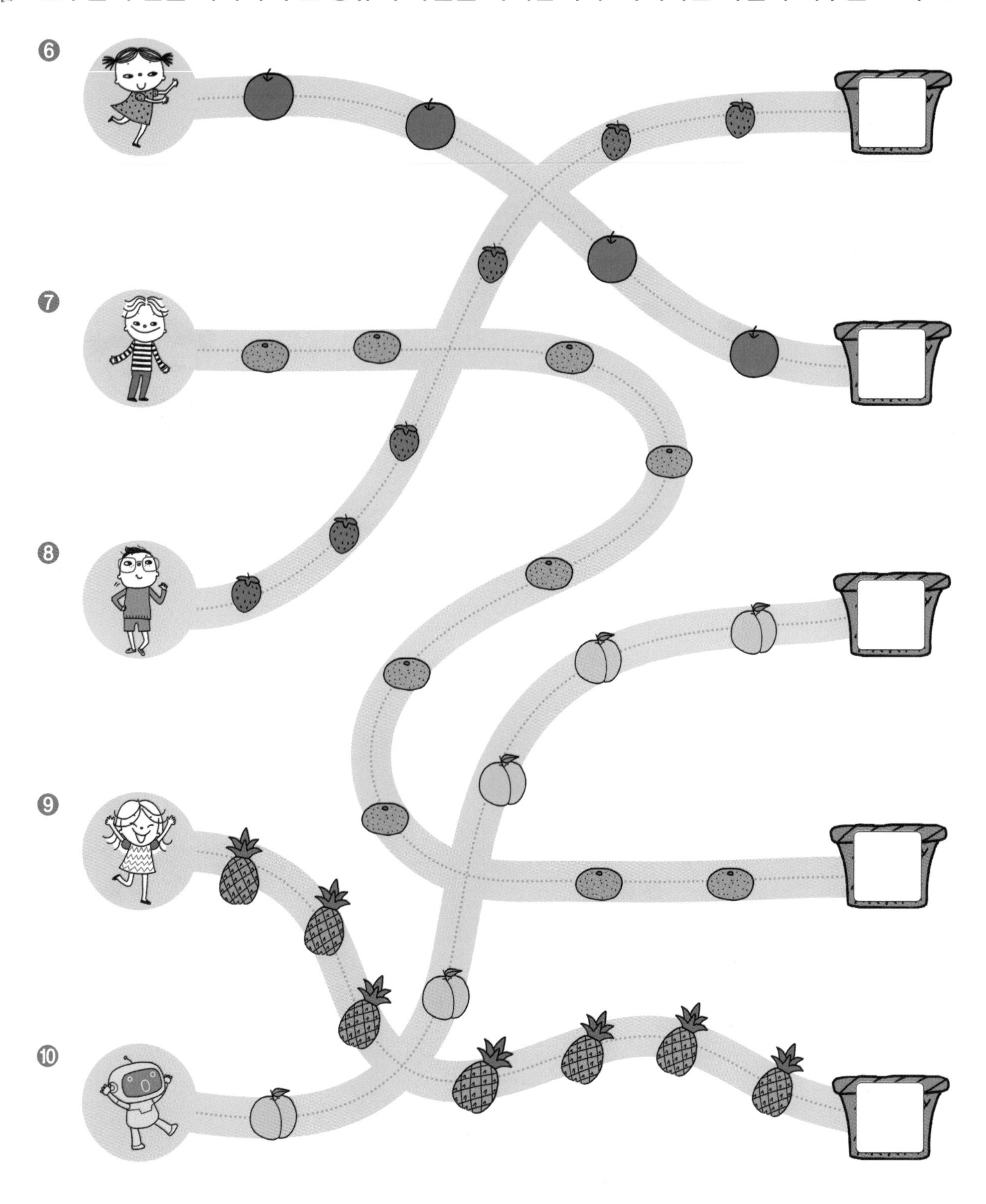

DAY 4 길 따라 개수 세기 (2)

✎ 다람쥐가 선을 따라 가져가는 도토리의 개수를 □ 안에 써넣으세요.

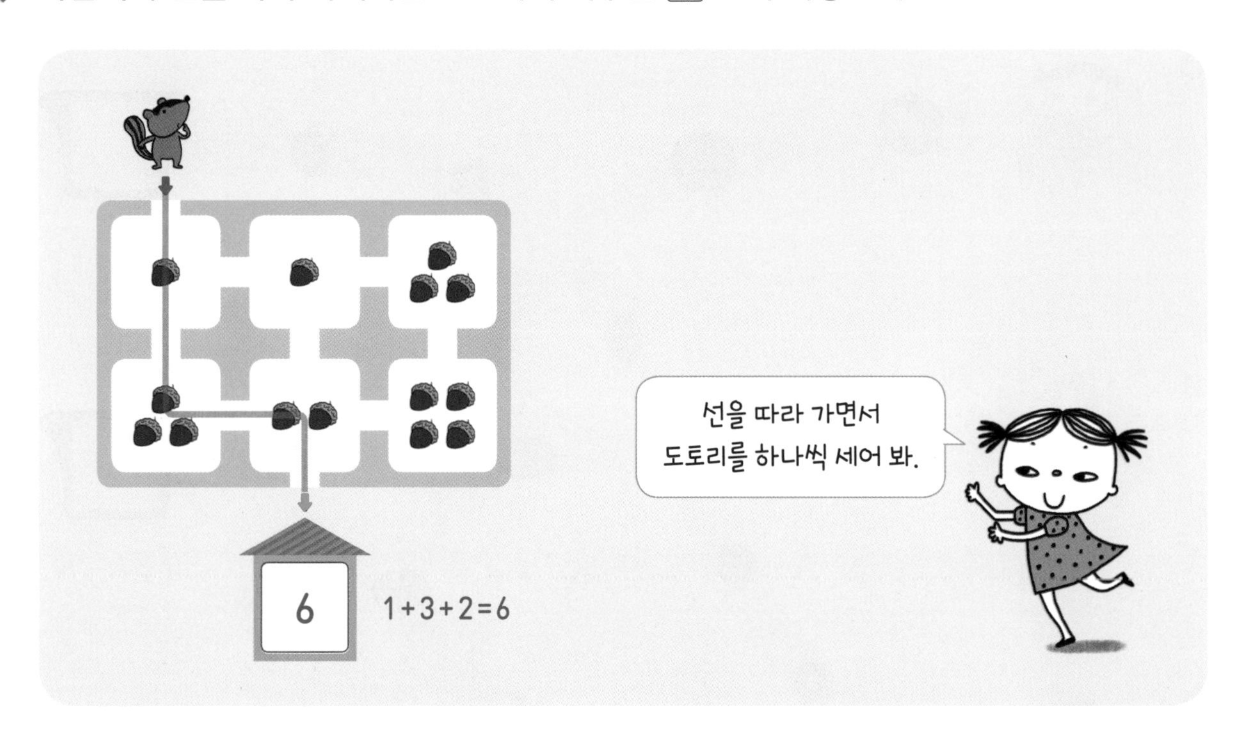

6
1+3+2=6
선을 따라 가면서
도토리를 하나씩 세어 봐.

❶

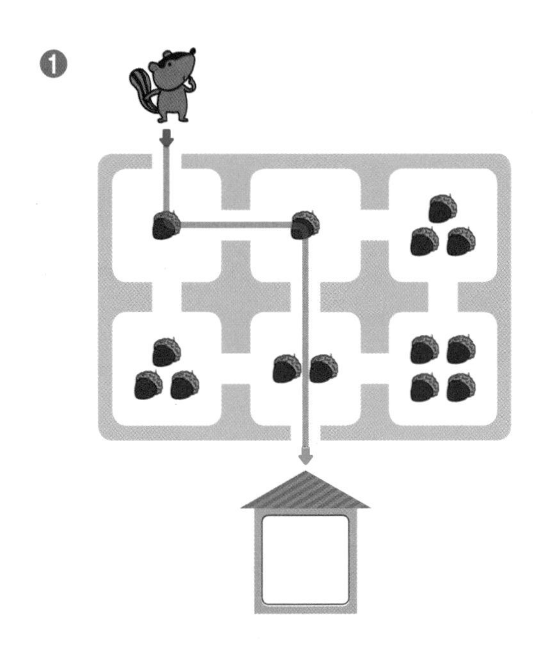

❷

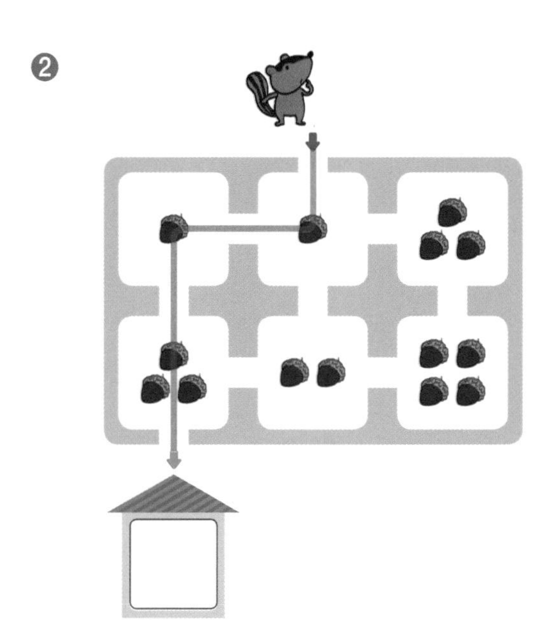

③

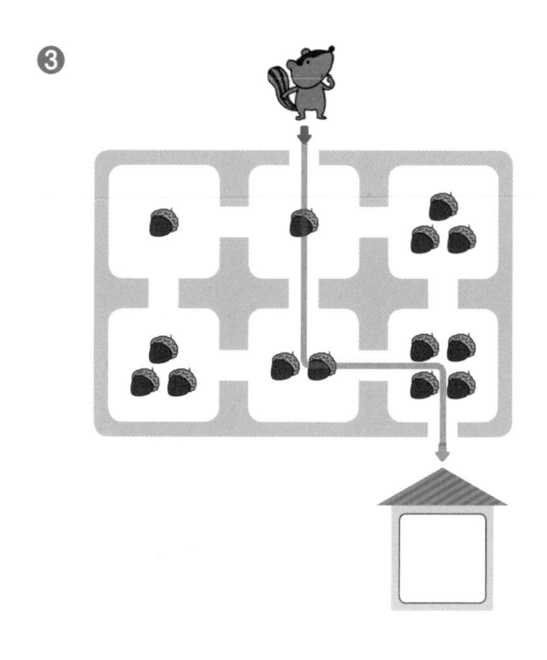

④

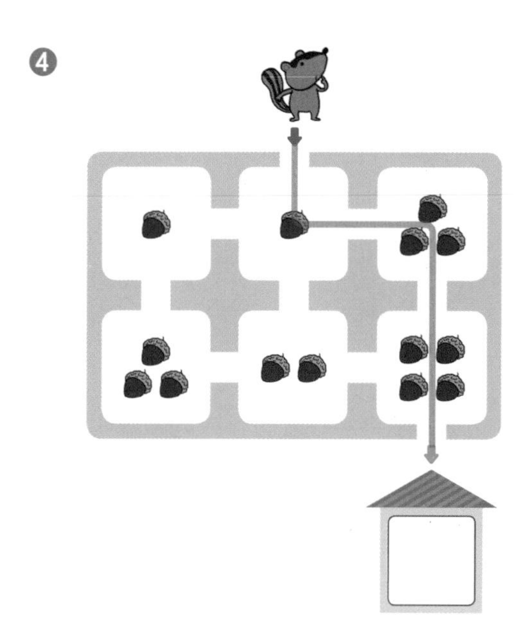

⑤

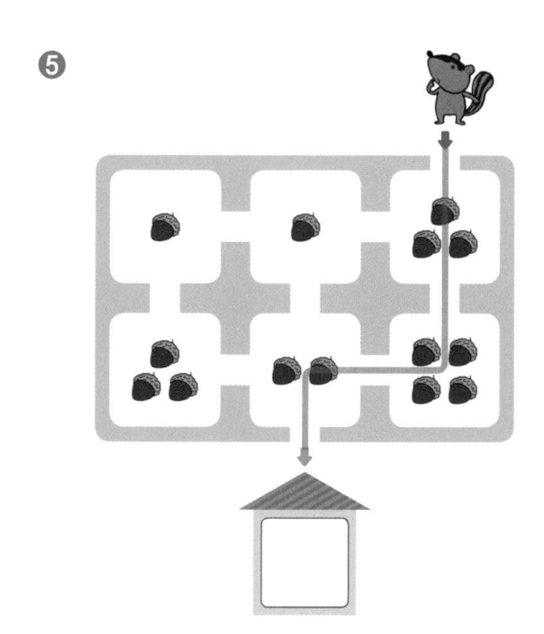

⑥

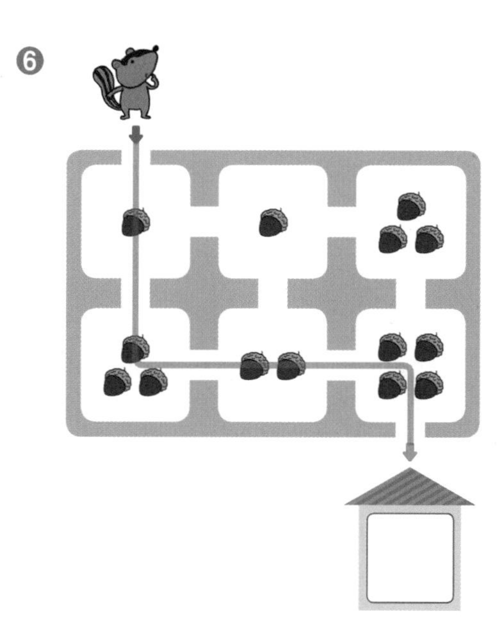

모아서 가는 길

토끼가 원하는 개수만큼의 당근을 모아 집으로 가는 길을 그려 보세요.

4
1+2+1=4
당근 4개가 되도록
선을 그어 봐. 지나간 길은
다시 갈 수 없어.

❶

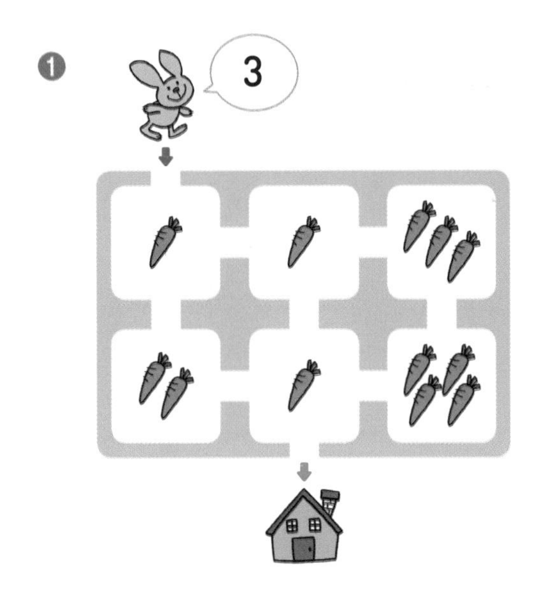

❷

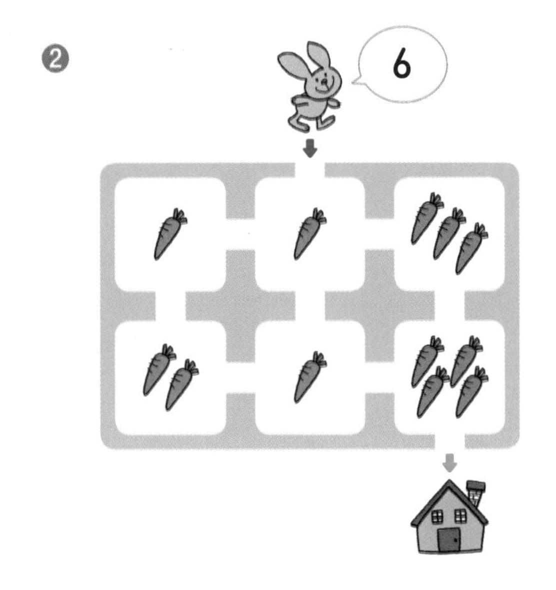

❸

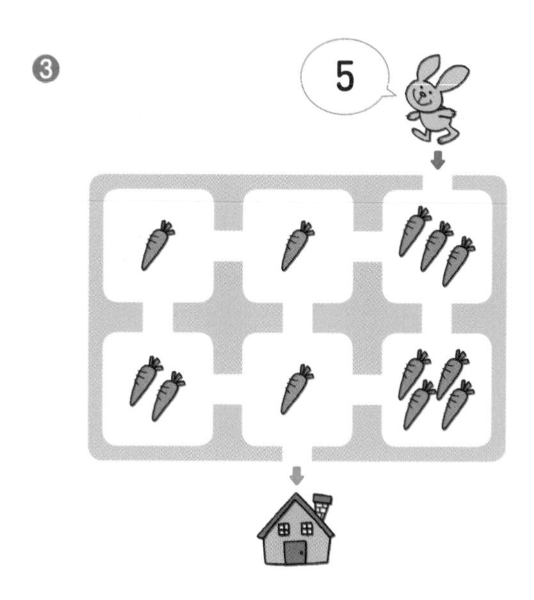

❹

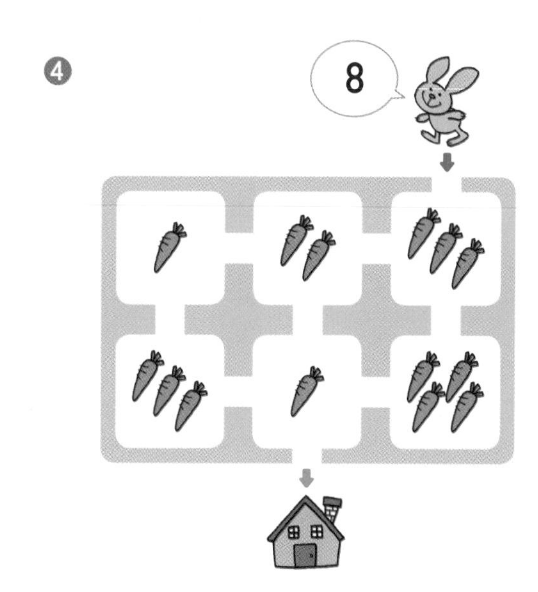

❺

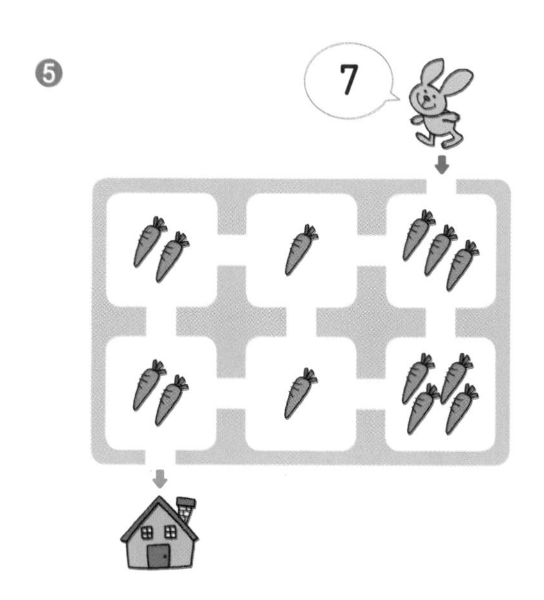

❻

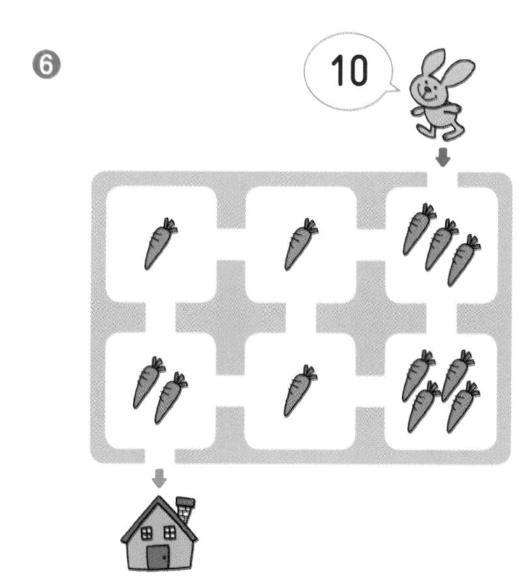

확인학습

✎ 다람쥐가 선을 따라 가져가는 도토리의 개수를 ☐ 안에 써넣으세요.

❶

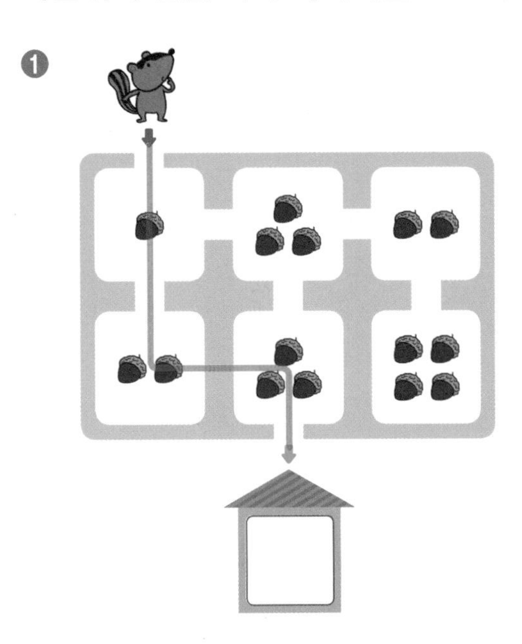

❷

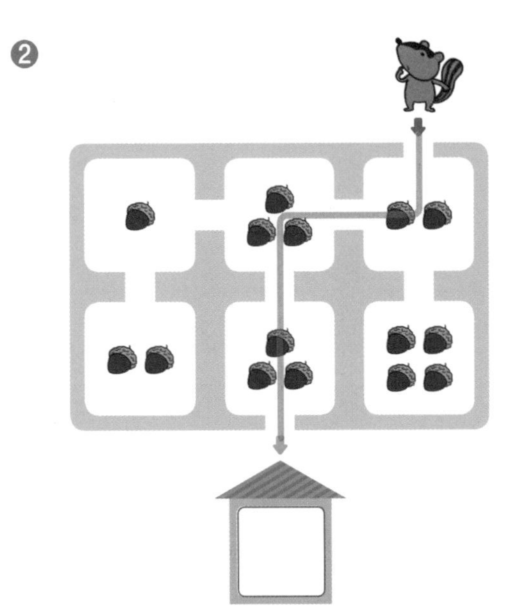

✎ 토끼가 원하는 개수만큼의 당근을 모아 집으로 가는 길을 그려 보세요.

❸

6

❹

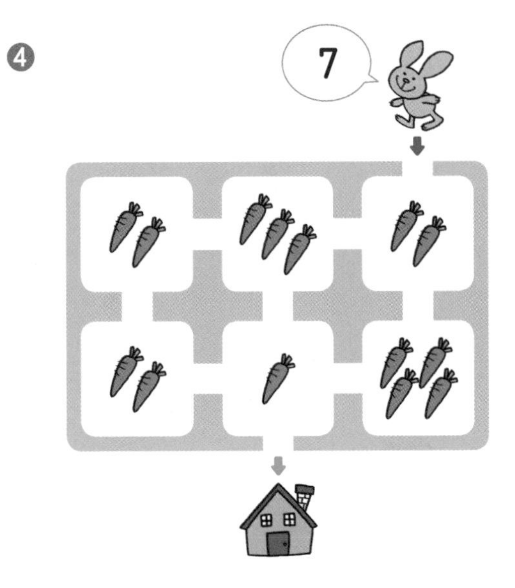

2
주차

선 잇기 퍼즐

DAY 1 선 따라 잇기

✎ 빨간색, 파란색, 초록색 색연필을 이용하여 선을 따라 이어 보세요.

❶

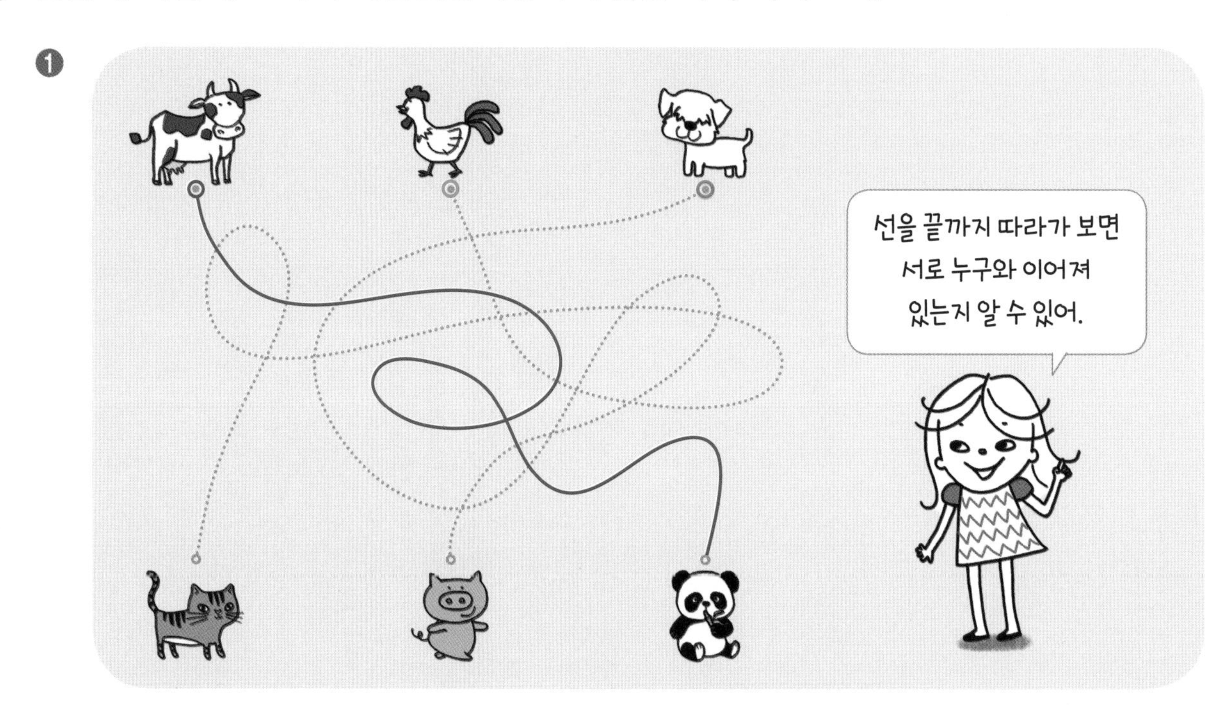
선을 끝까지 따라가 보면
서로 누구와 이어져
있는지 알 수 있어.

❷

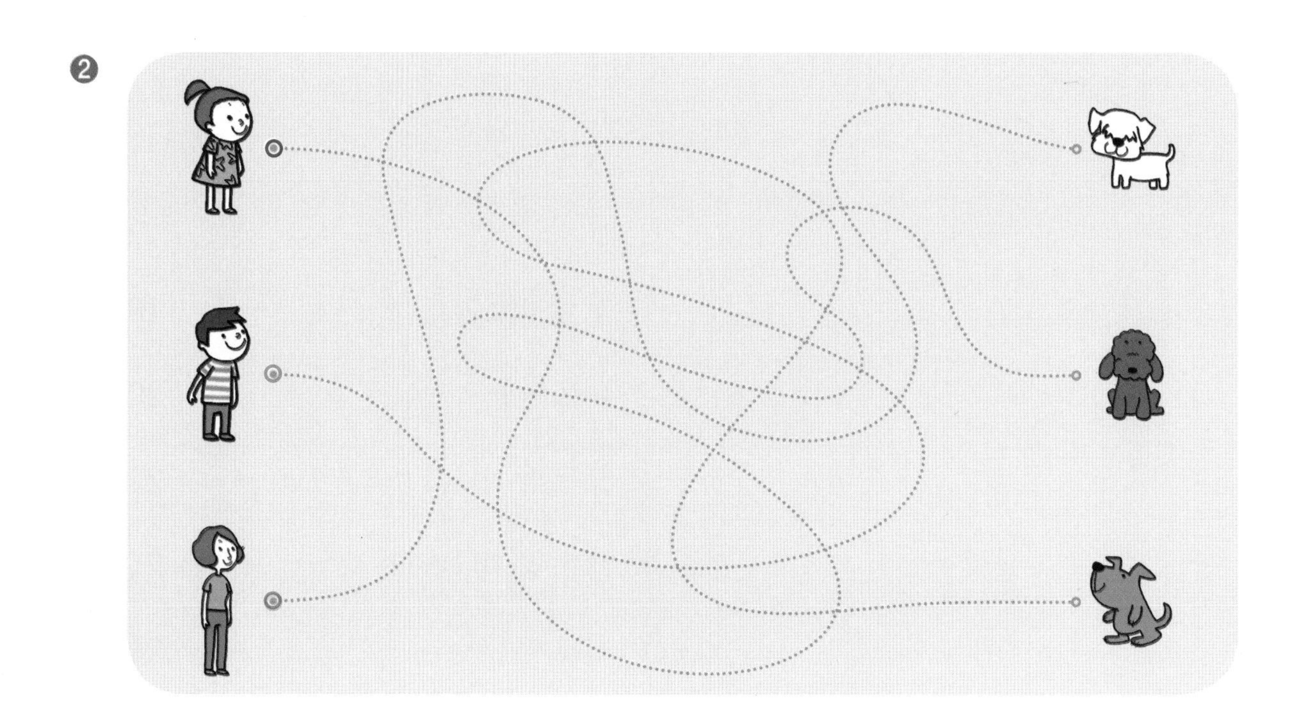

자물쇠에 맞는 열쇠를 찾아 ◯표 하세요.

❸

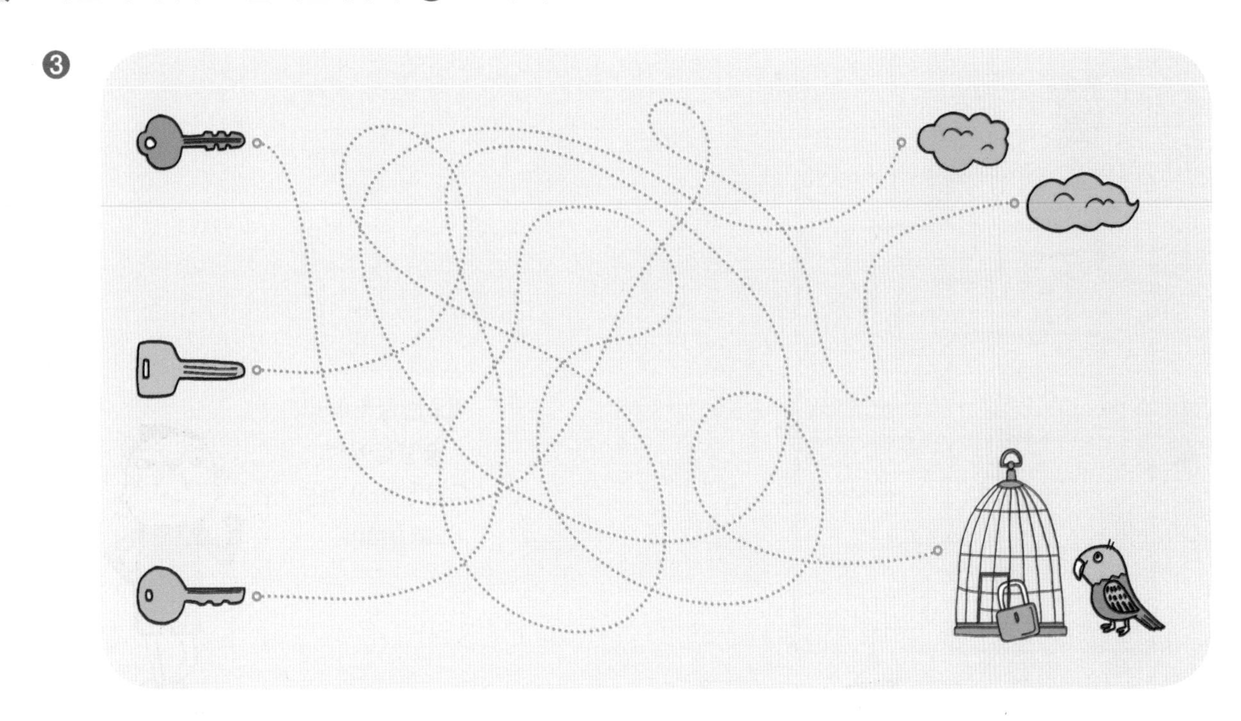

❹

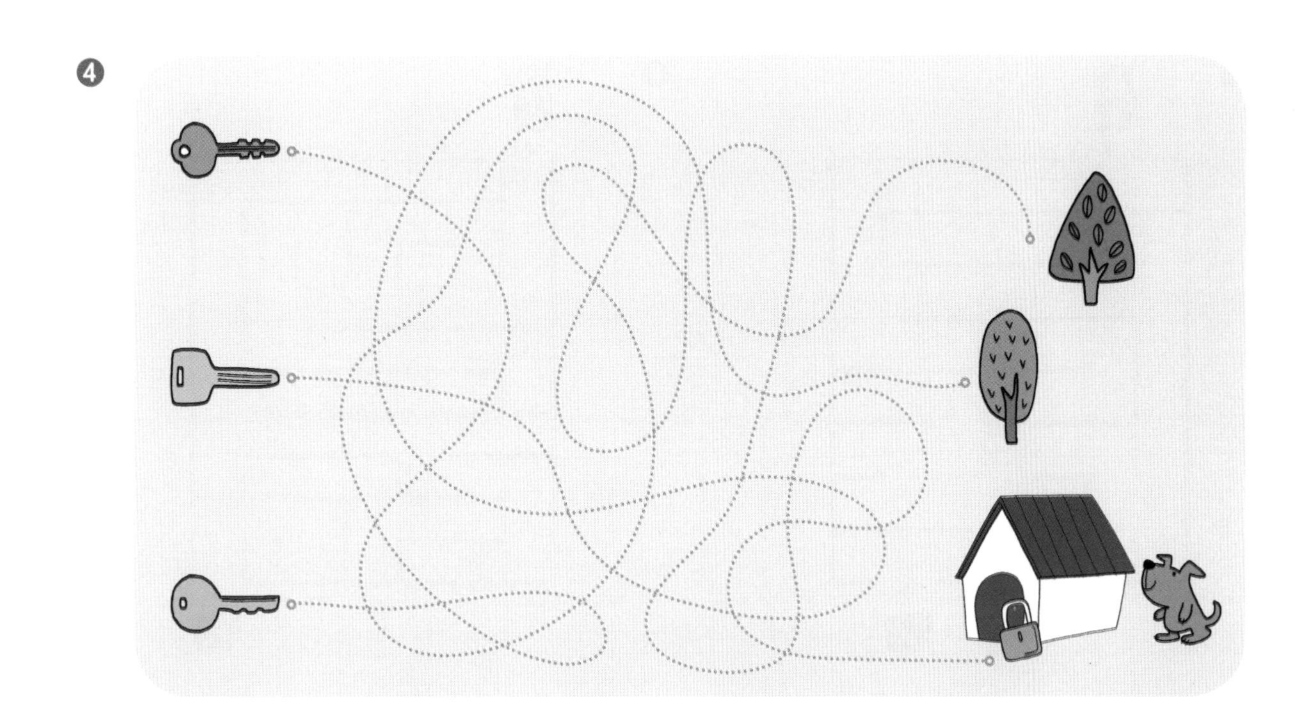

DAY 2 미로 탈출

✎ 미로를 통과하는 길을 선으로 나타내세요.

미로는 길을 따라
출발점에서
도착점까지 가는
퍼즐이야.

❶

❷

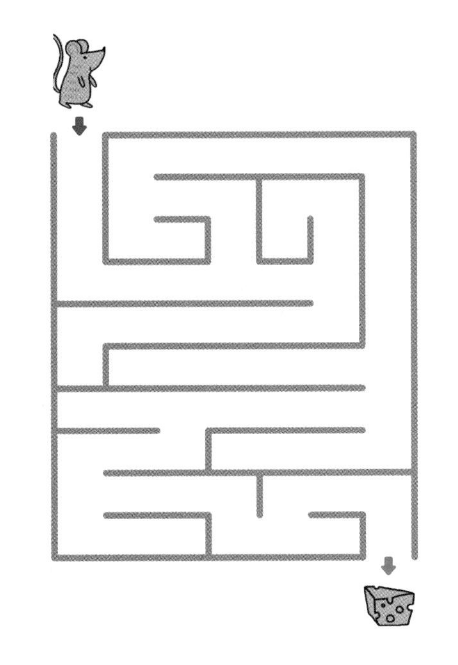

❸

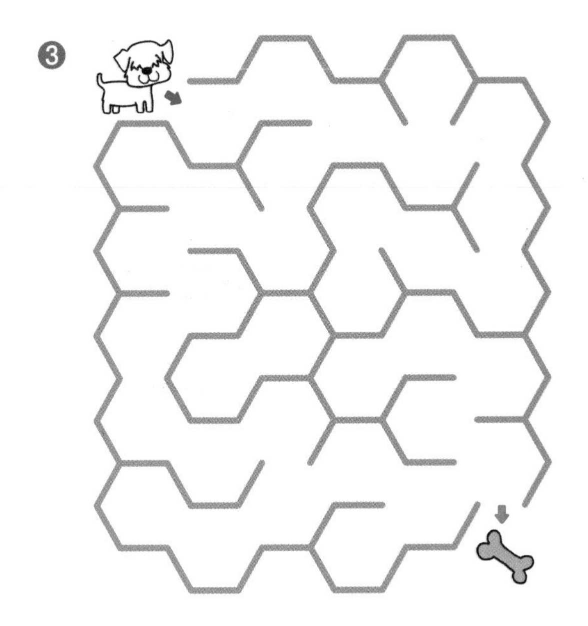

❹

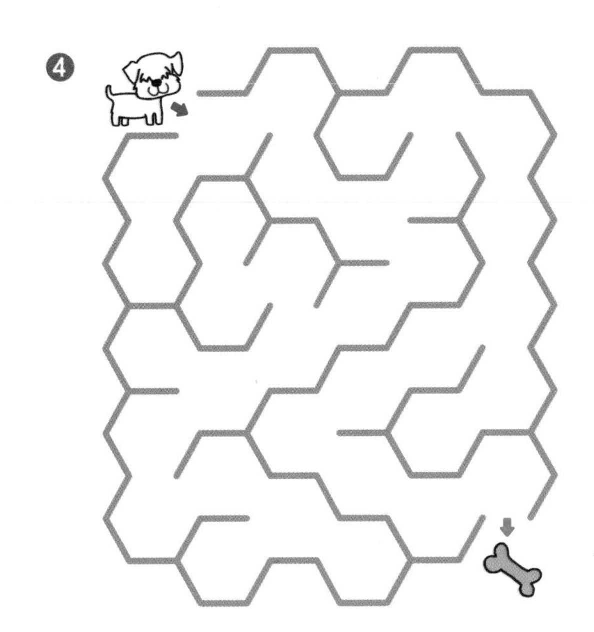

❺

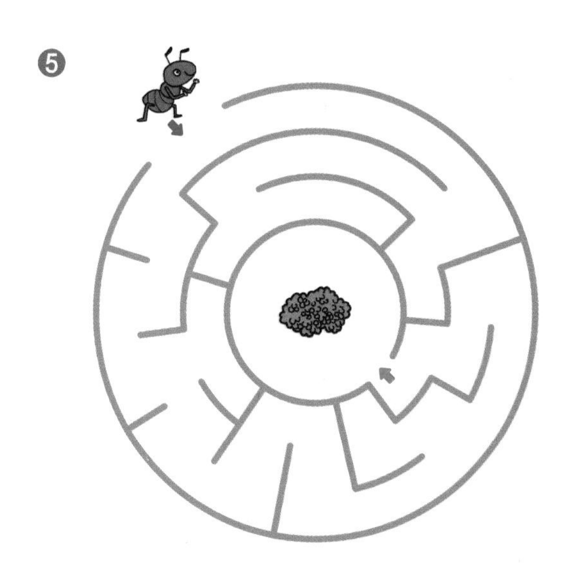

❻

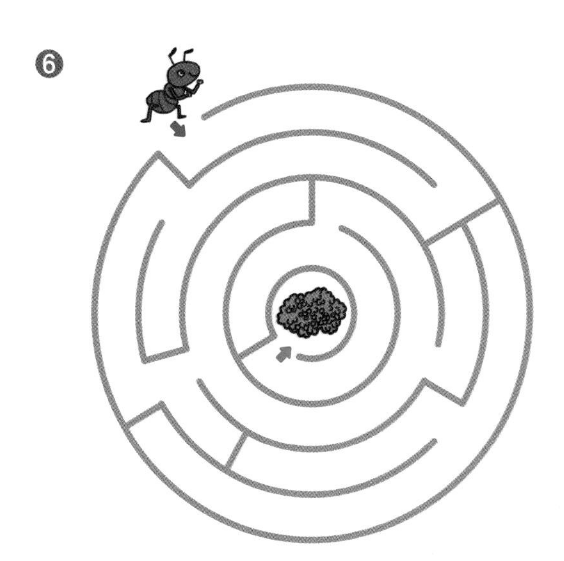

모든 방 지나기 (1)

✎ 토끼가 호랑이를 피해 모든 방을 한 번씩 지나 당근까지 가는 길을 그려 보세요.

❶ ❷

❸ ❹

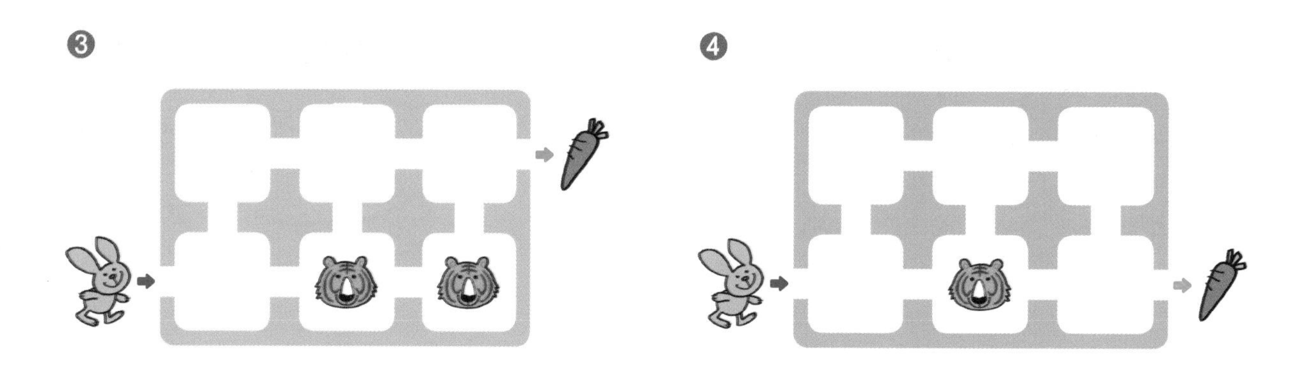

❺

❻

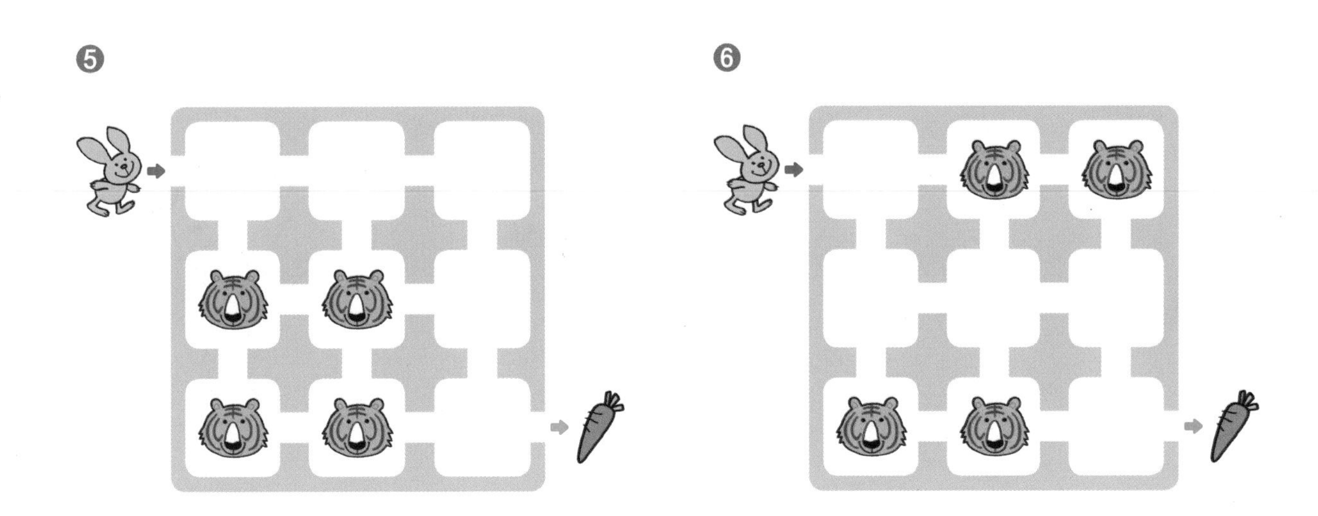

❼

❽

DAY 4

모든 방 지나기 (2)

다람쥐가 곰을 피해 모든 방을 한 번씩 지나 도토리까지 가는 길을 그려 보세요.

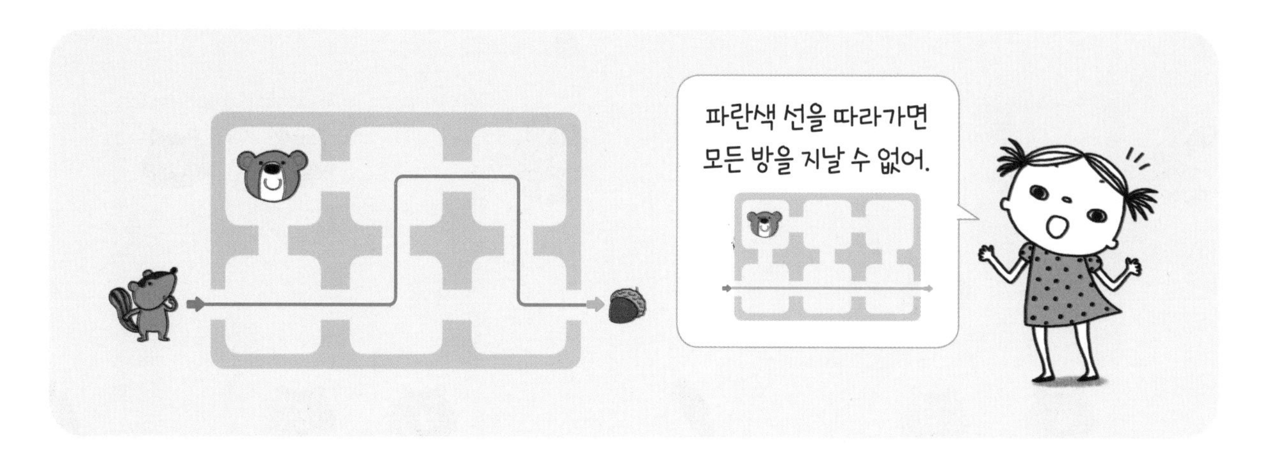

파란색 선을 따라가면
모든 방을 지날 수 없어.

❶ ❷

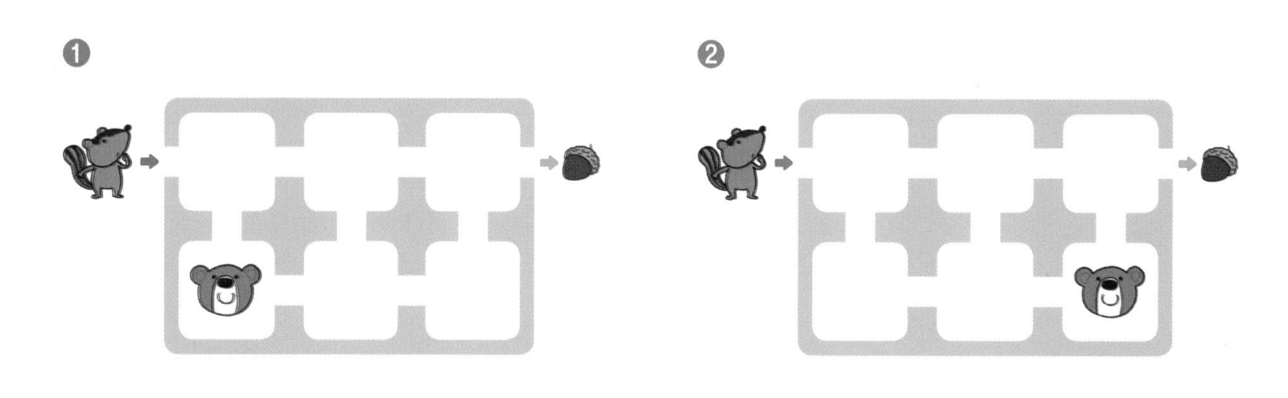

❸ ❹

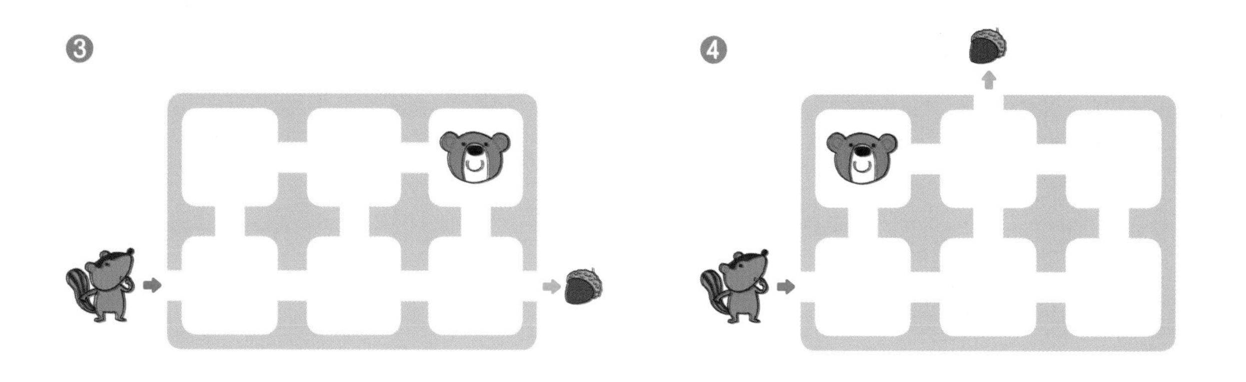

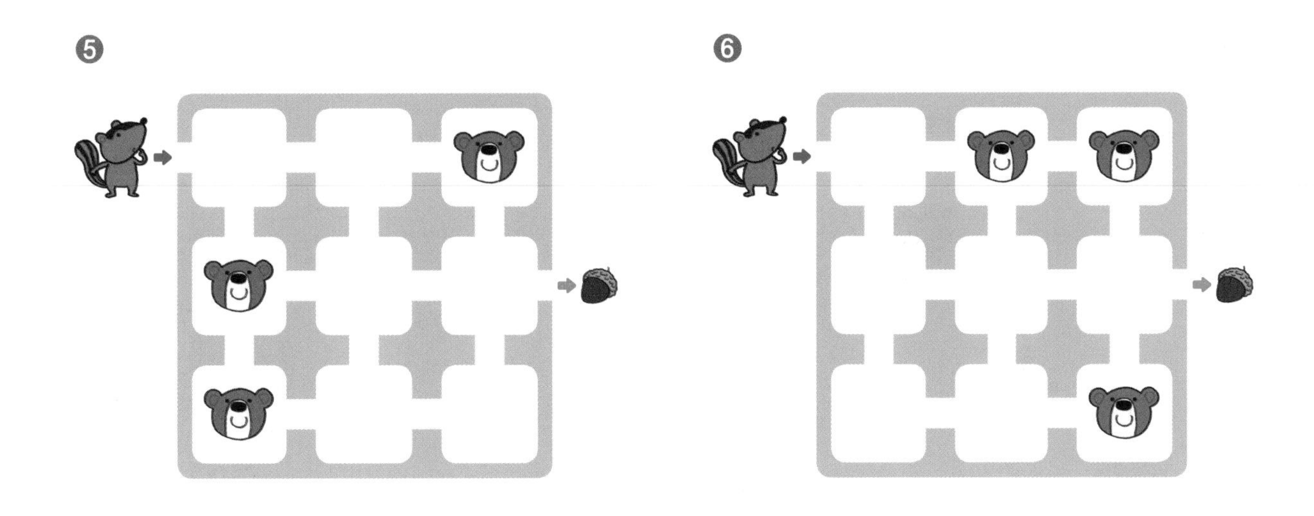
❺
❻

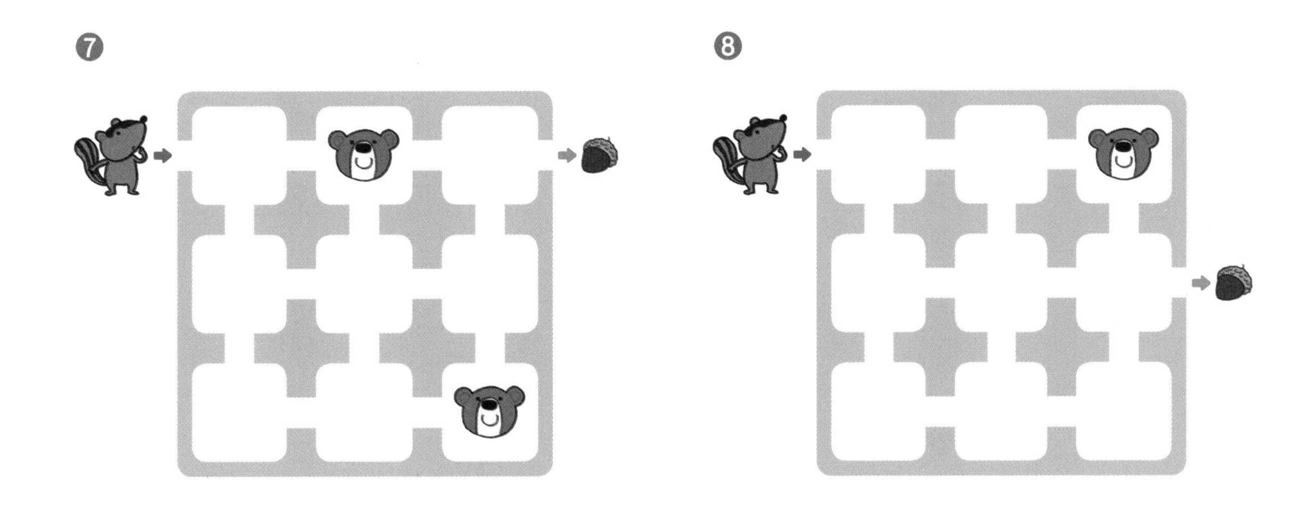
❼
❽

DAY 5 짝짓기

관계있는 것끼리 선을 이으세요. 단, 선은 서로 겹치지 않고 모든 칸을 지나야 합니다.

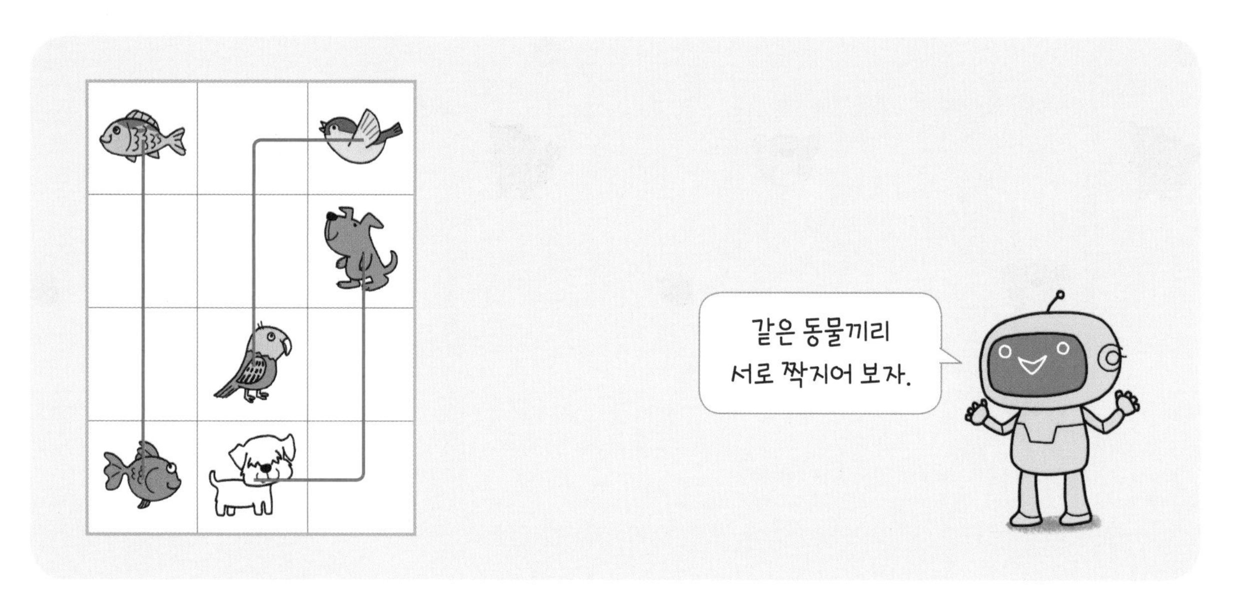

❶

❷

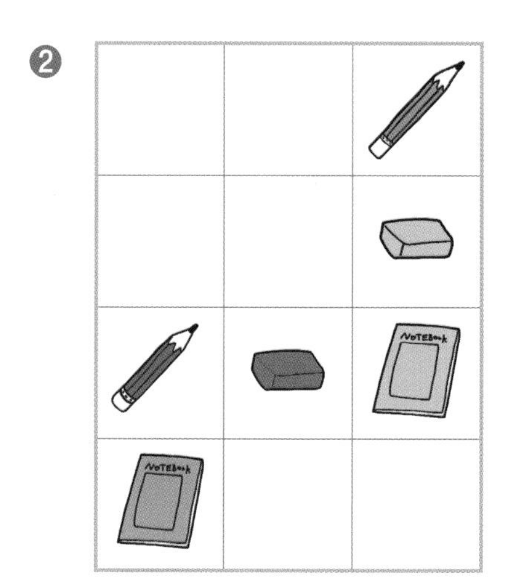

❸

❹

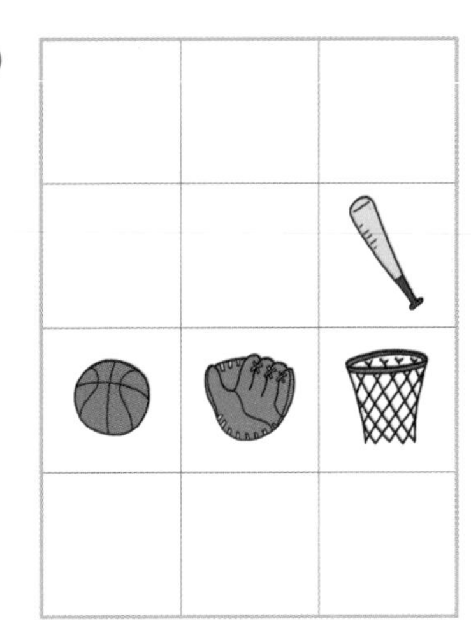

❺

❻

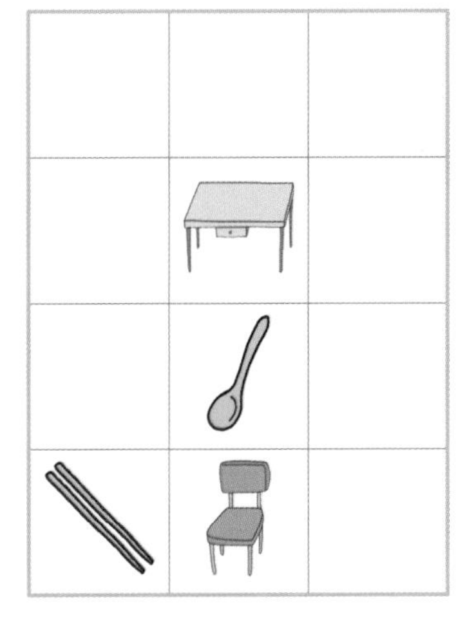

확인학습

토끼가 호랑이를 피해 모든 방을 한 번씩 지나 당근까지 가는 길을 그려 보세요.

❶

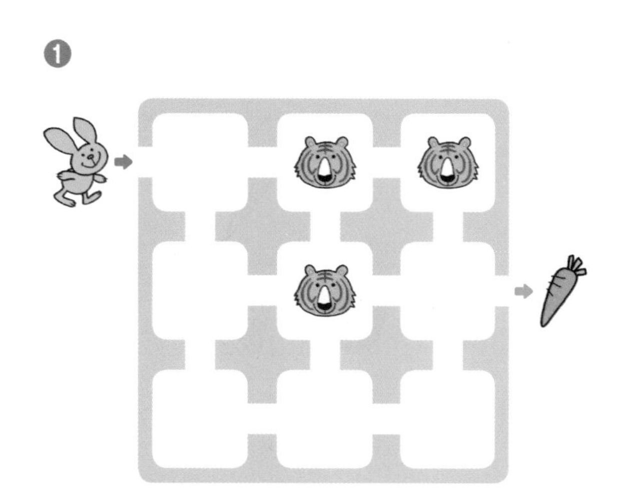

❷

관계있는 것끼리 선을 이으세요. 단, 선은 서로 겹치지 않고 모든 칸을 지나야 합니다.

❸

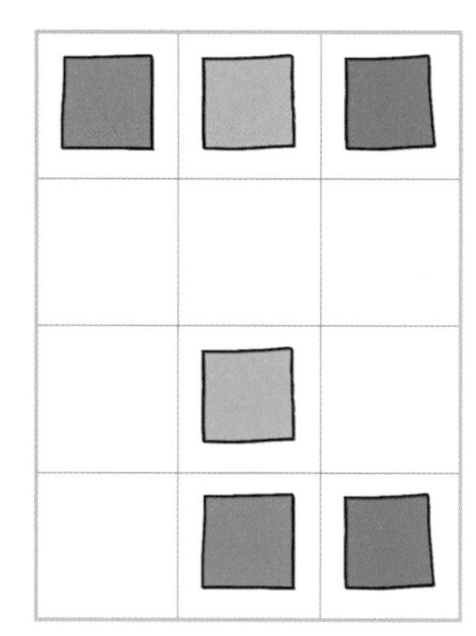

❹

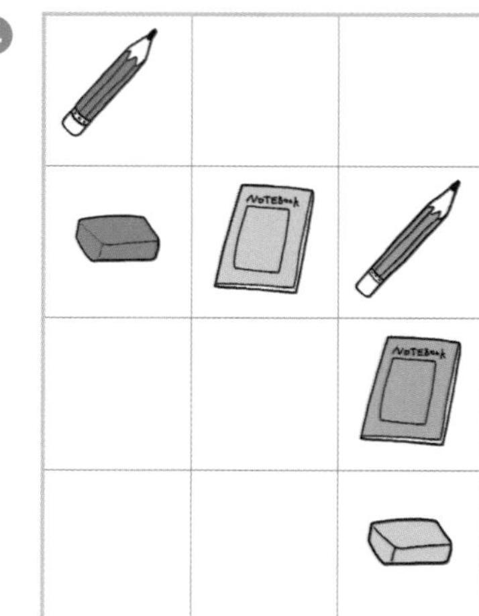

3
주차

써넣기 퍼즐

DAY 1 다른 색 칠하기

✎ 이웃한 곳에는 다른 색깔이 들어가도록 빨간색, 파란색을 알맞게 색칠하세요.

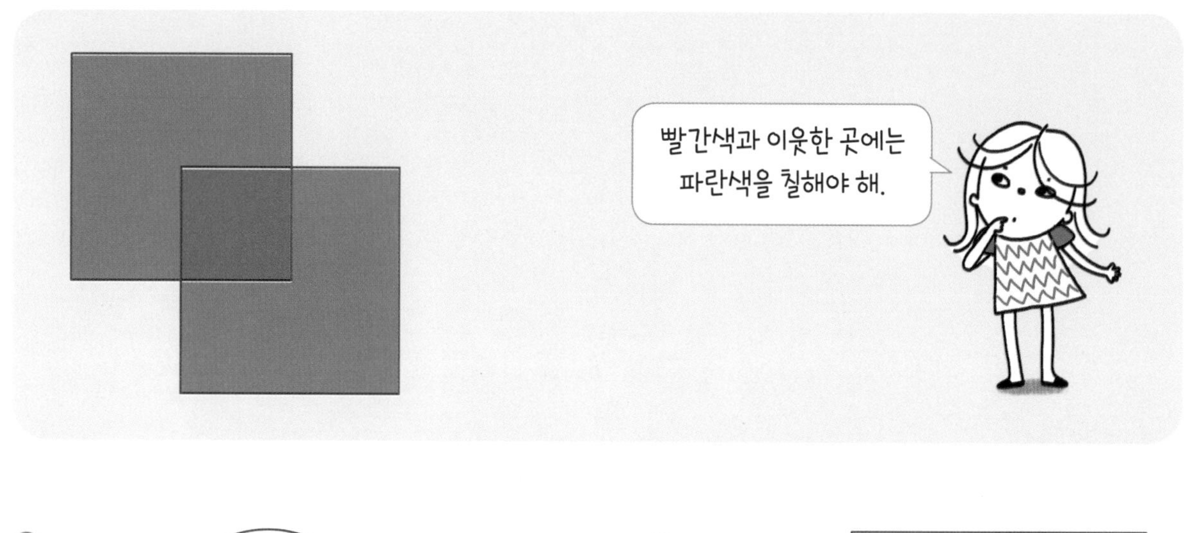

❶

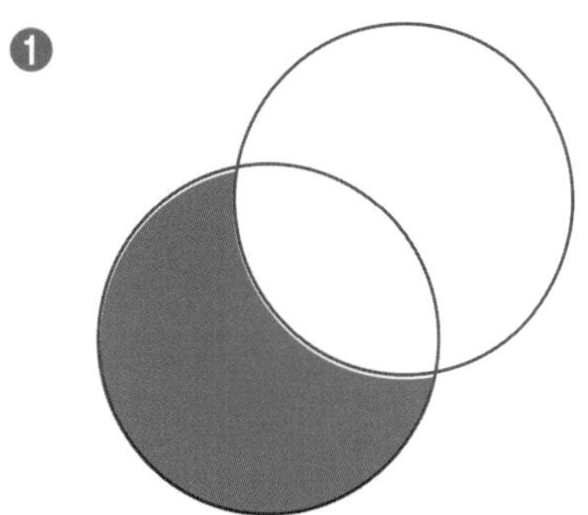

❷

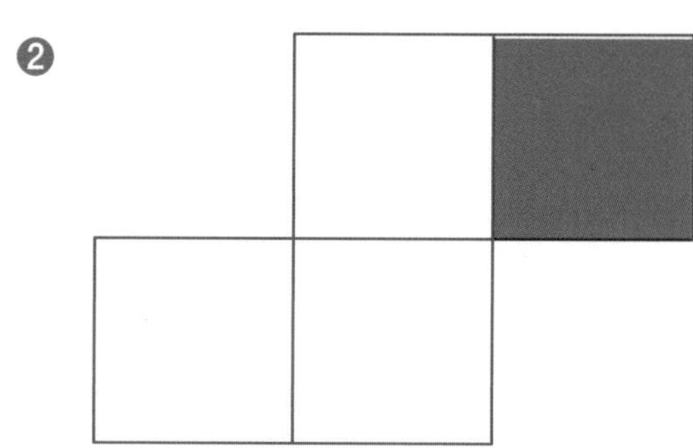

❸

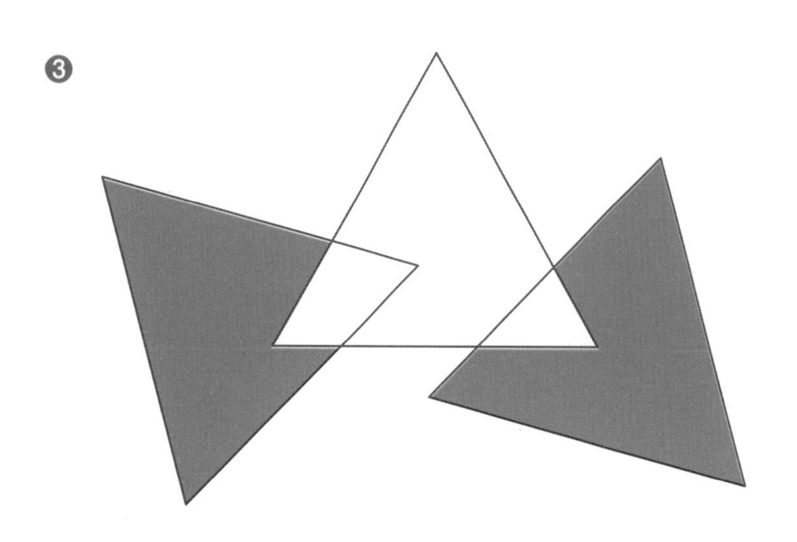

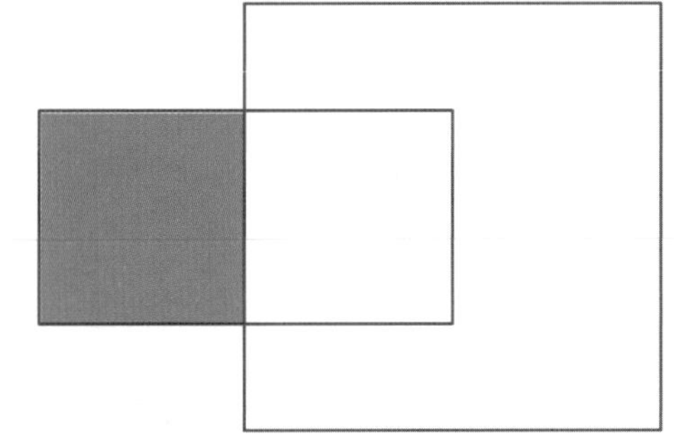

❺

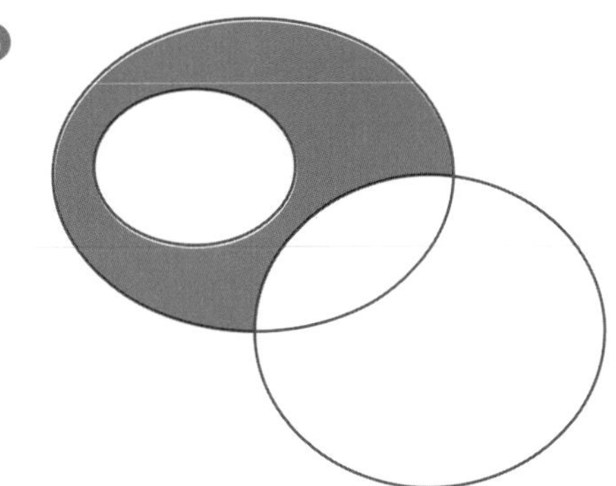

❻

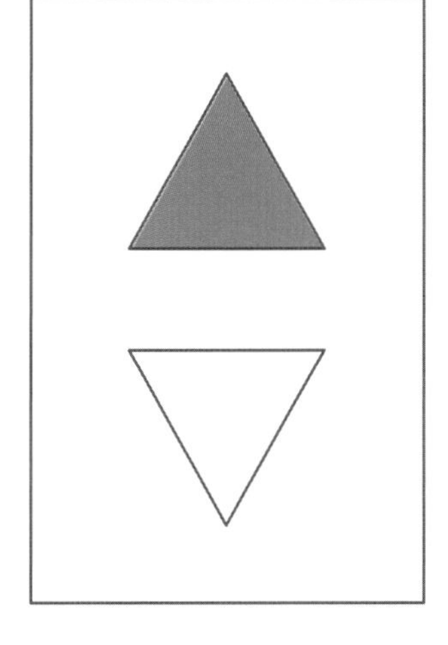

❼

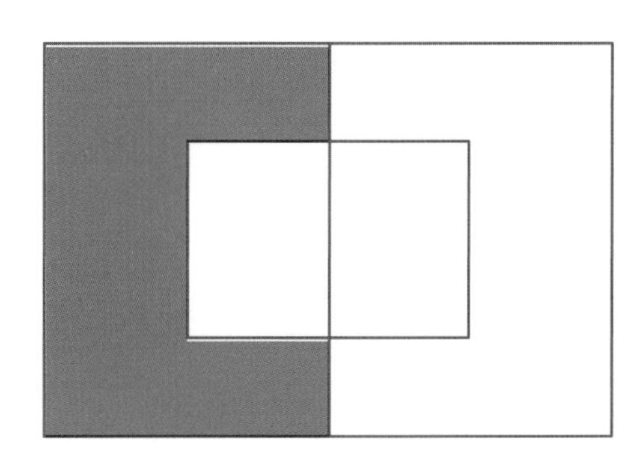

DAY 2 다른 숫자 써넣기 (1)

✎ 이웃한 칸의 숫자가 서로 다르도록 빈칸에 1, 2를 알맞게 써넣으세요.

1	2
2	1

1과 이웃한 칸에는
1을 쓸 수 없으므로 2를 써야 해.

1	2
2	

❶

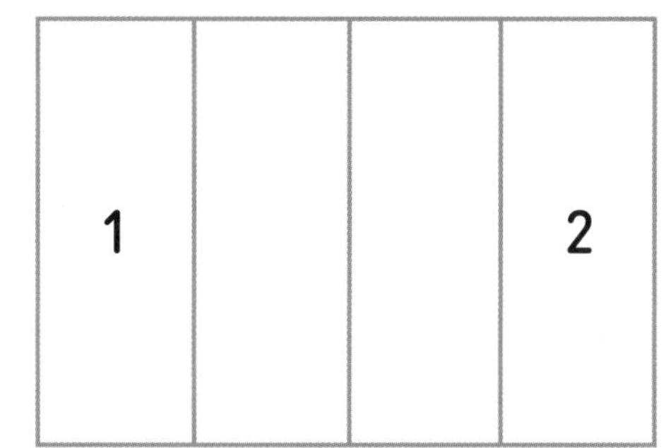

❷

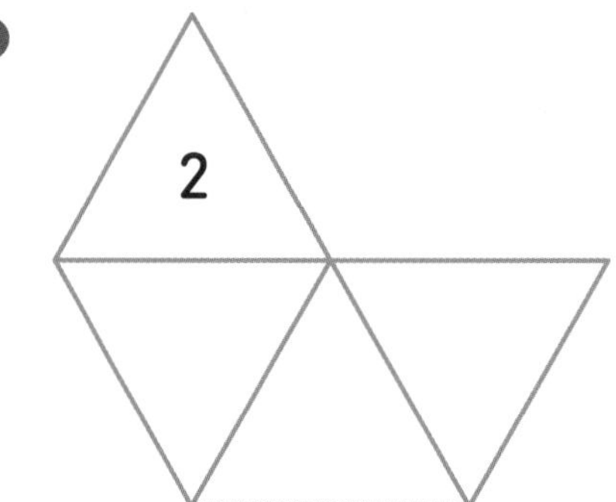

❸

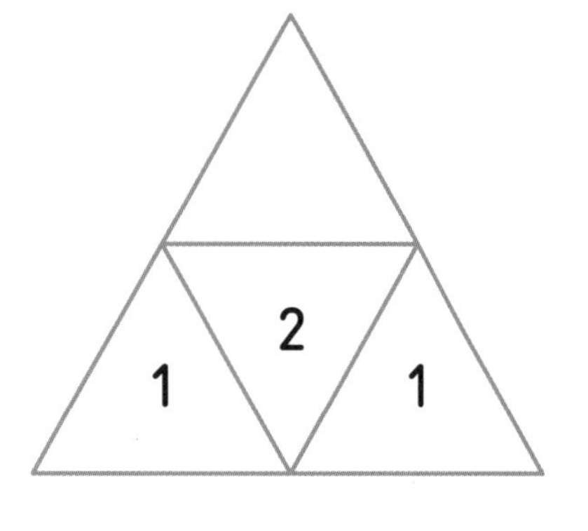

❹

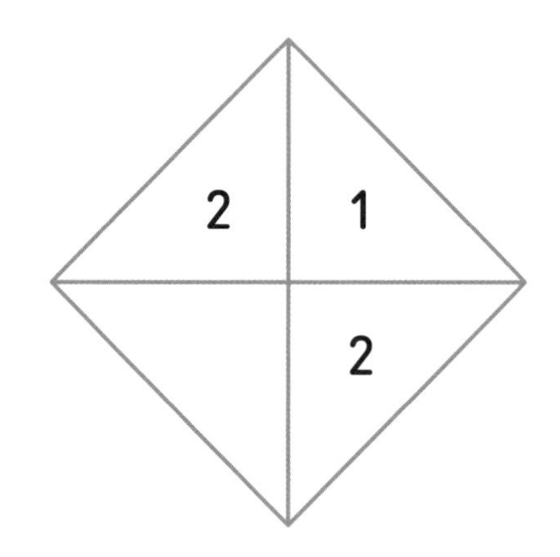

❺

1	2	

❻

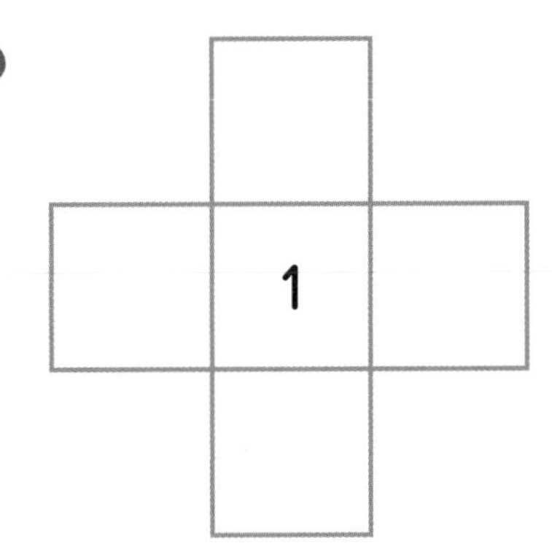

❼

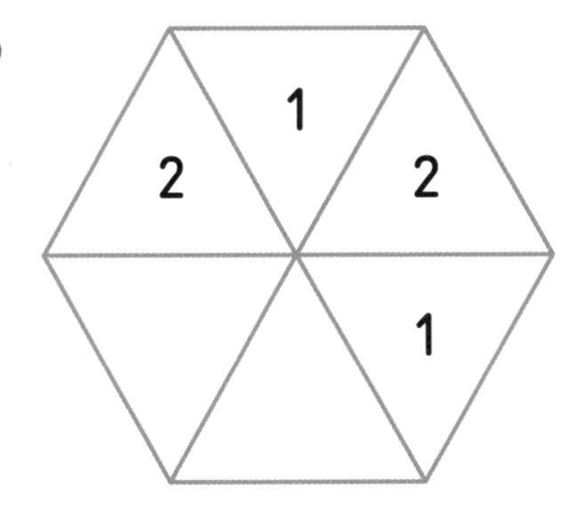

❽

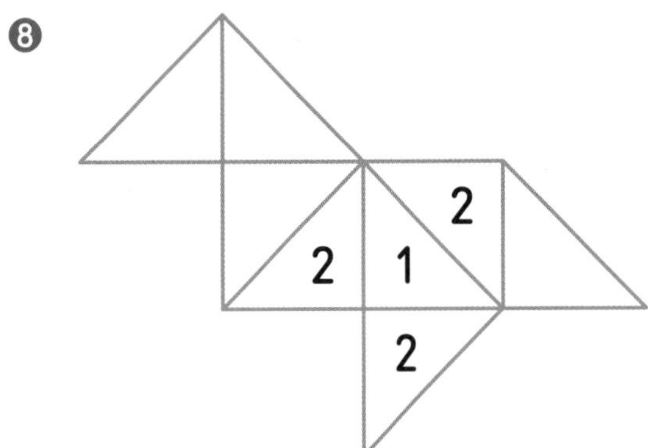

❾

1		
		2

❿

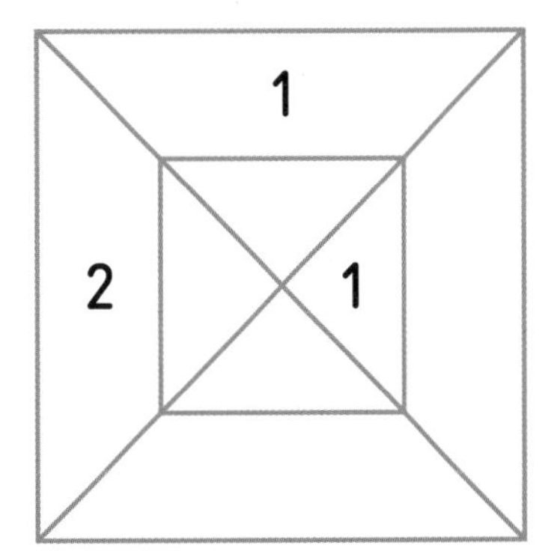

다른 숫자 써넣기 (2)

이웃한 칸의 숫자가 서로 다르도록 빈칸에 1, 2, 3을 알맞게 써넣으세요.

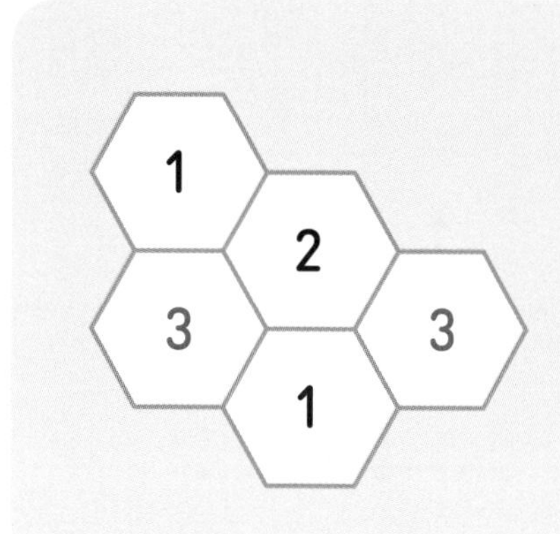

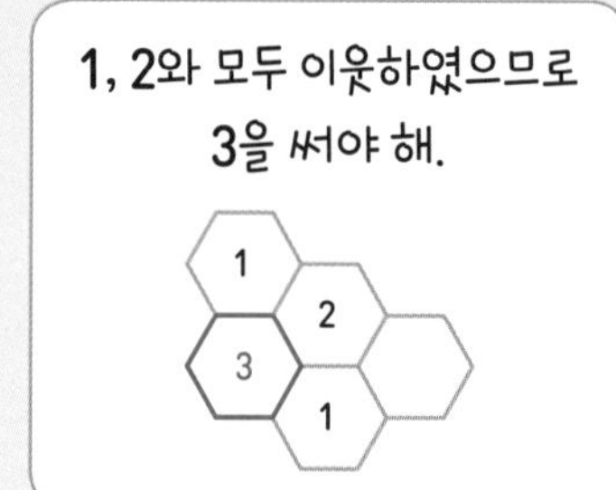

1, 2와 모두 이웃하였으므로
3을 써야 해.
1
2
3
1

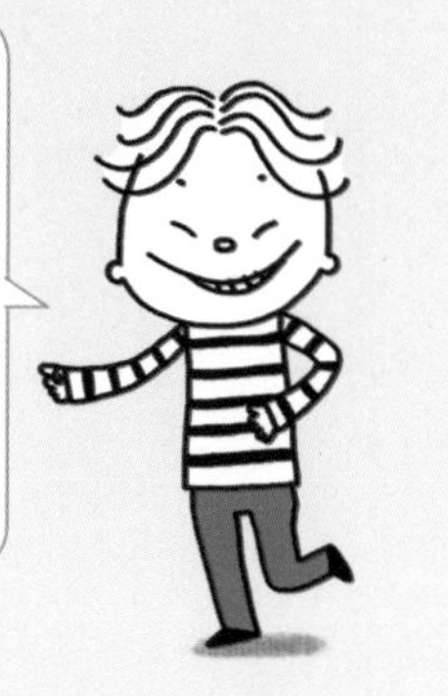

❶

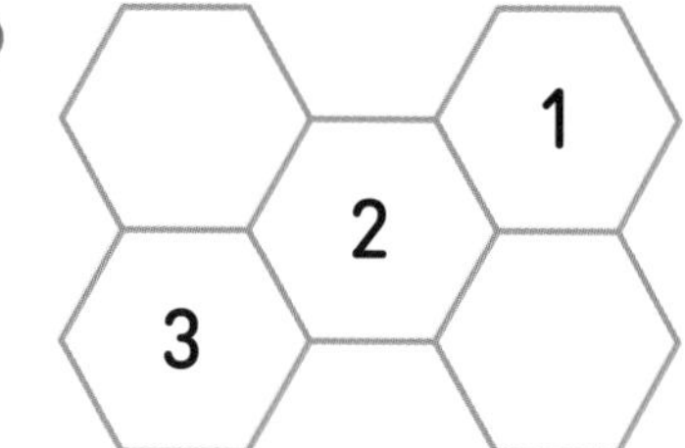

❷

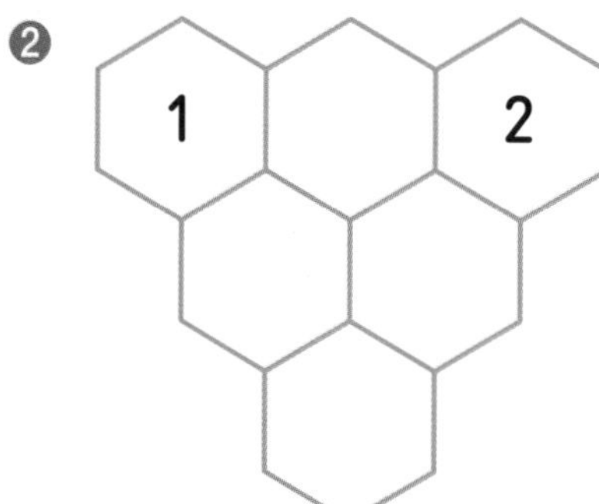

❸

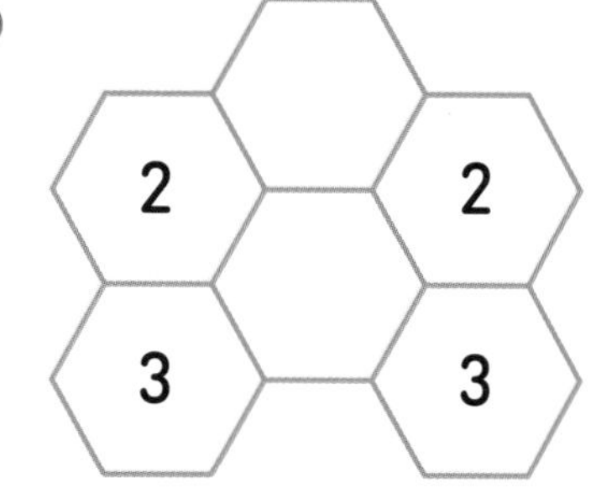

❹

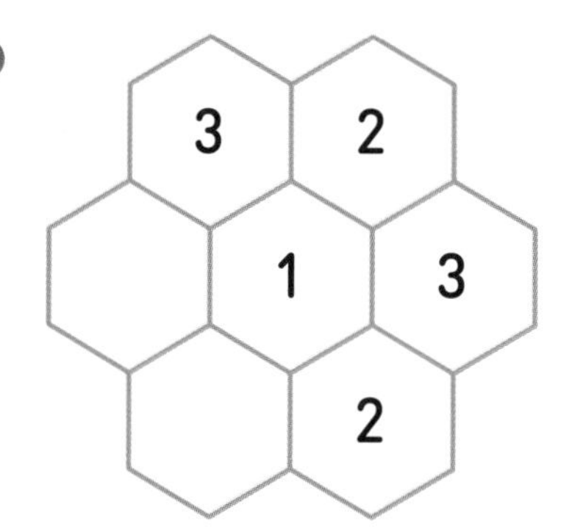

1	

2		

❻

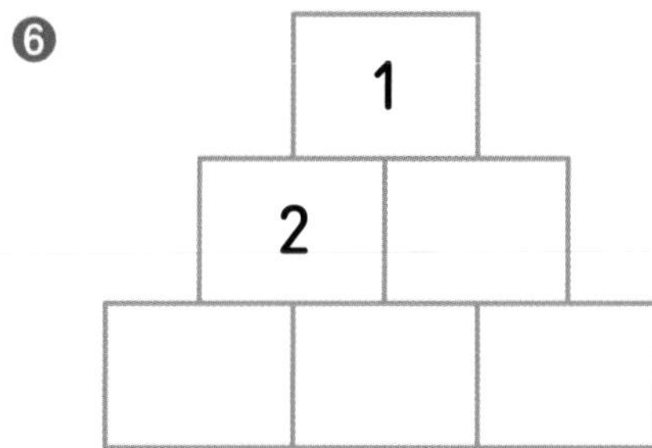

❼

	2	3
	1	2

❽

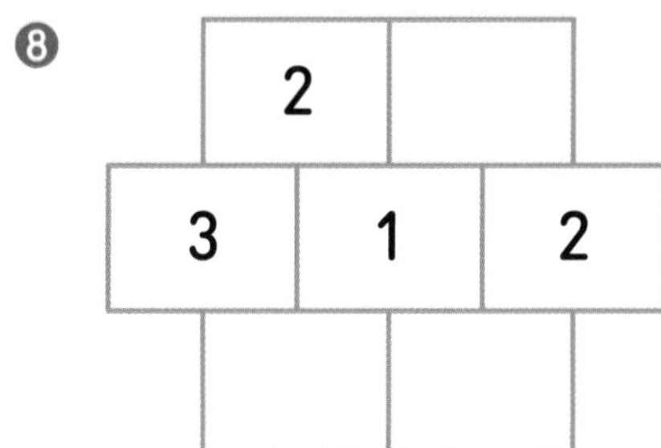

❾

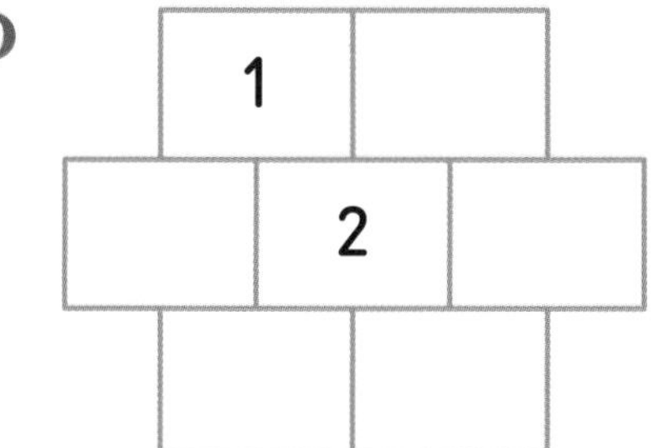

❿

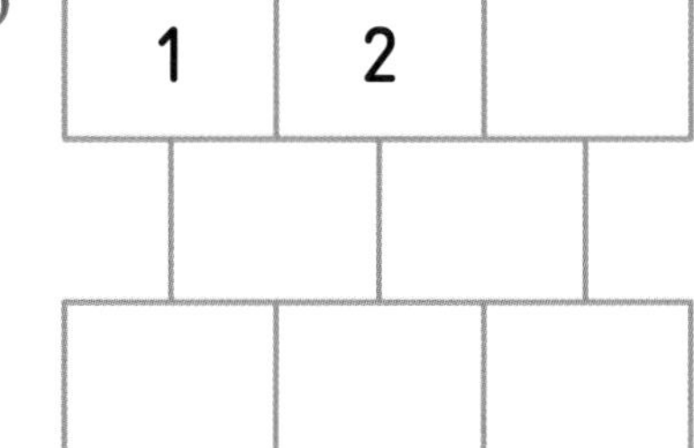

DAY 4 한 줄에 하나씩 (1)

한 줄에 1, 2, 3이 각각 한 번씩만 들어가도록 ◯ 안에 알맞은 수를 써넣으세요.

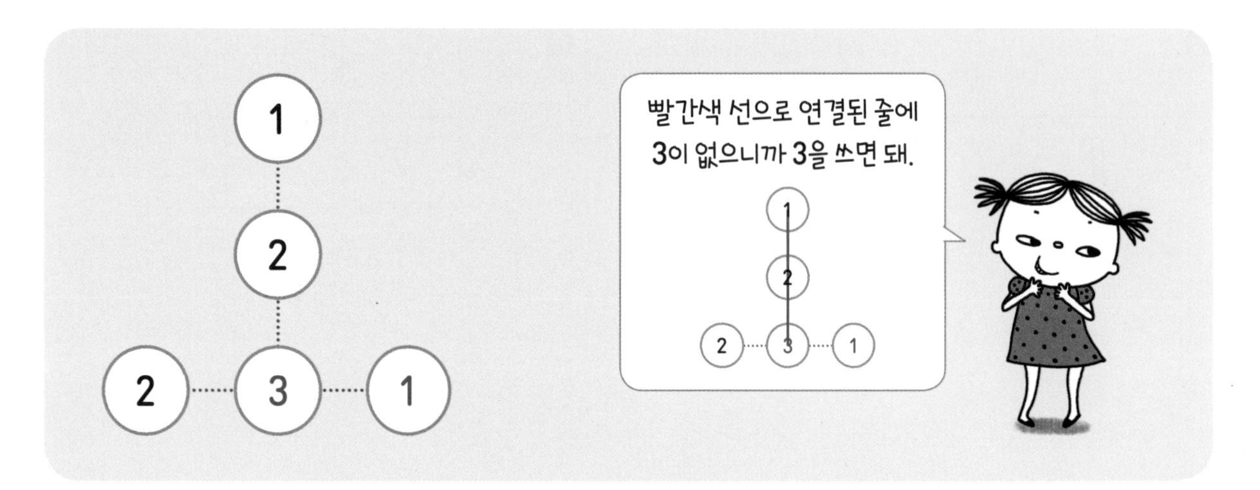

빨간색 선으로 연결된 줄에
3이 없으니까 3을 쓰면 돼.

❶

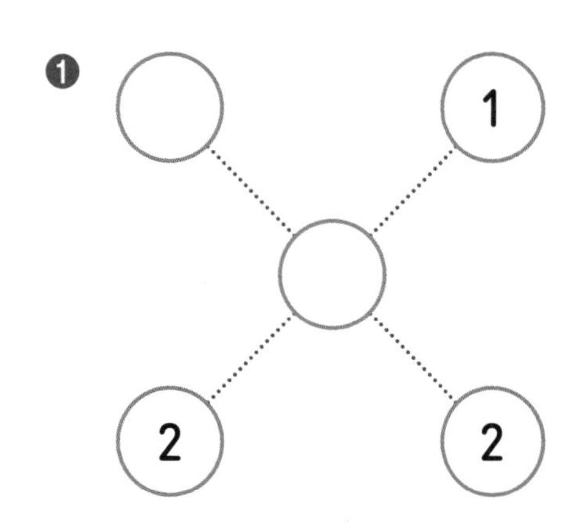

❷

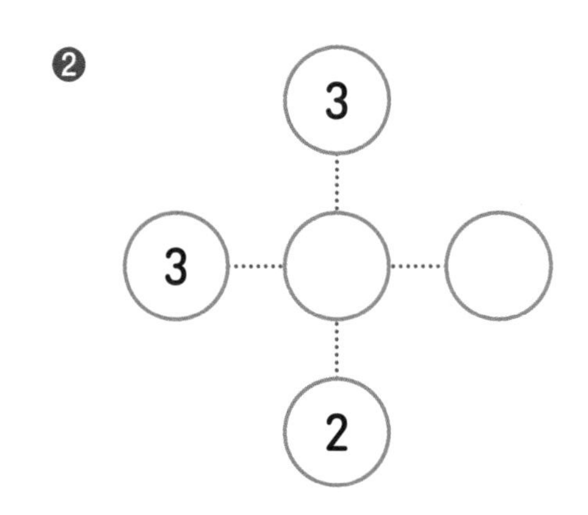

❸

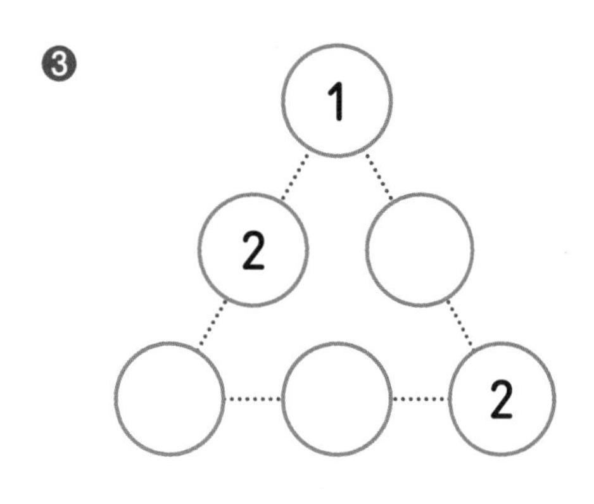

❹

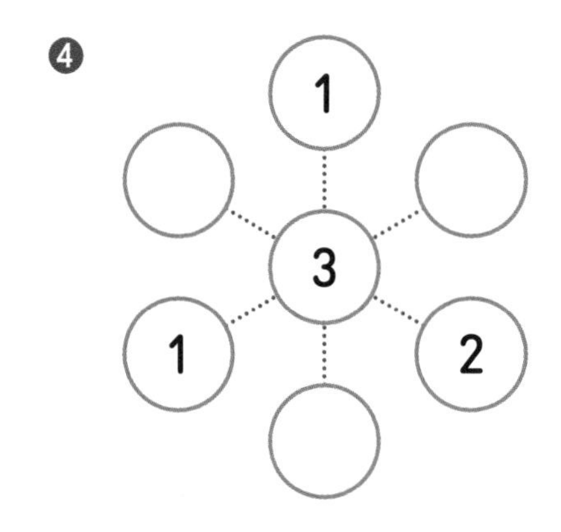

❺
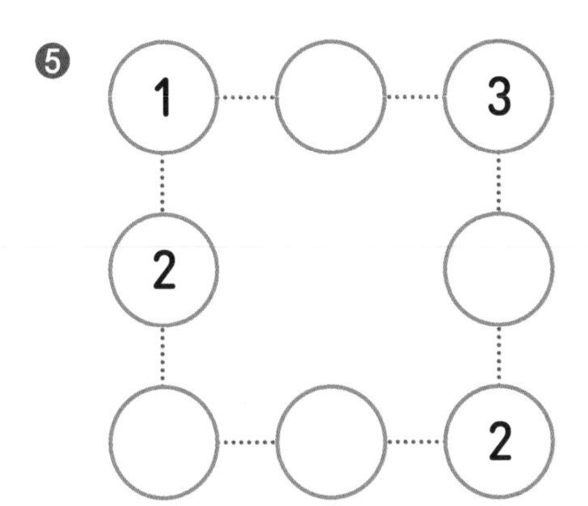

❻
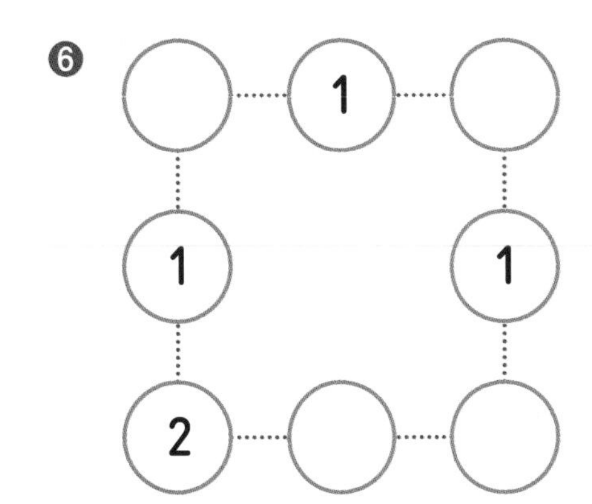

지금부터는 1, 2, 3, 4가
각각 한 번씩만
들어가도록 해 보자.

❼
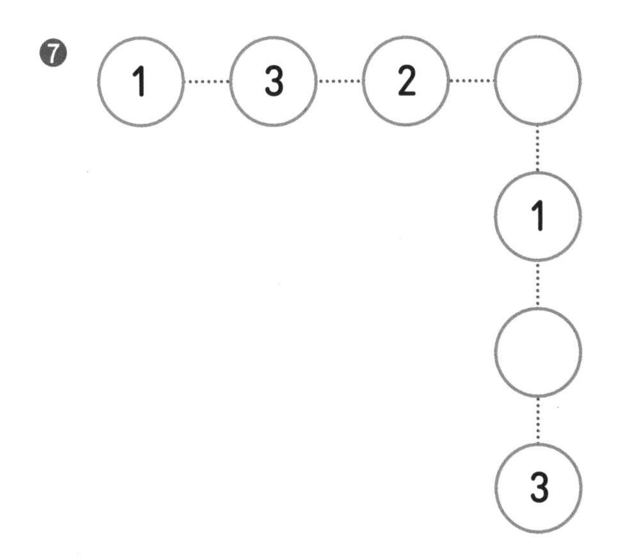

❽
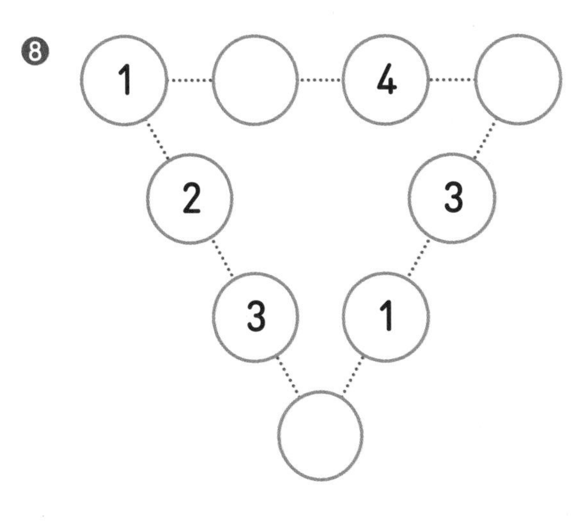

한 줄에 하나씩 (2)

가로줄과 세로줄에 1, 2, 3이 각각 한 번씩 들어가도록 빈칸에 알맞은 수를 써넣으세요.

1	2	3
3	1	2
2	3	1

가로줄에 1, 2, 3이 모두 들어가야 하고, 세로줄에도 1, 2, 3이 모두 들어가야 해.

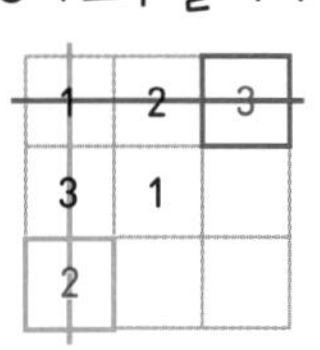

❶

1		
	3	1
	1	2

❷

1		2
3		1
	1	

❸

2		
	1	2
		3

❹

1	2	
3		
		1

지금부터는 1, 2, 3, 4가
각각 한 번씩만
들어가도록 해 보자.

❺

1		2	4
2	1	4	
	2	3	
3			2

❻

1	2		4
		4	1
4		2	
	4		2

❼

3		1	
1		3	4
2	3		1
	1		

❽

3		2	4
		3	1
	2		
1		4	2

확인학습

이웃한 칸의 숫자가 서로 다르도록 빈칸에 1, 2, 3을 알맞게 써넣으세요.

❶

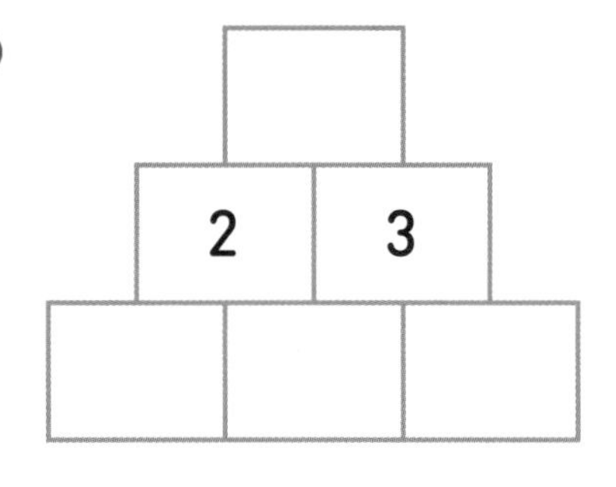

❷

1	3

가로줄과 세로줄에 1, 2, 3이 각각 한 번씩 들어가도록 빈칸에 알맞은 수를 써넣으세요.

❸

1		2
3		1
2		

❹

	1	
	3	2
3	2	

4
주차

수 잇기 퍼즐

숨은 숫자 찾기

1부터 9까지 숨어 있는 숫자를 모두 찾아 ◯표 하세요.

❶

❷

DAY 2 그림 완성하기

✎ 순서에 맞게 1부터 9까지 순서대로 점을 이어 보세요.

❶

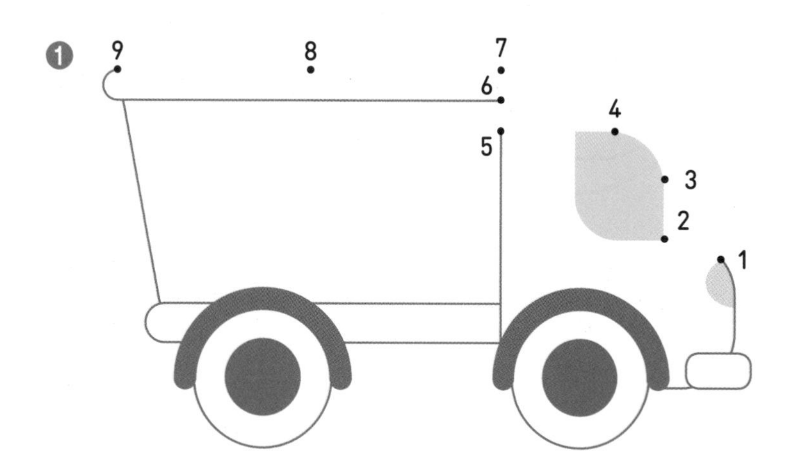

❷

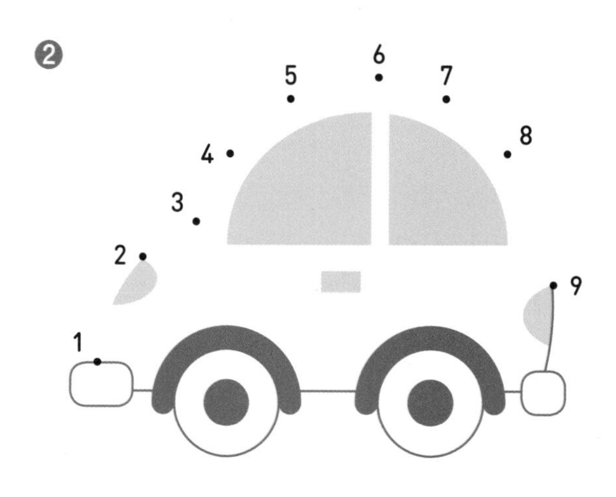

❸

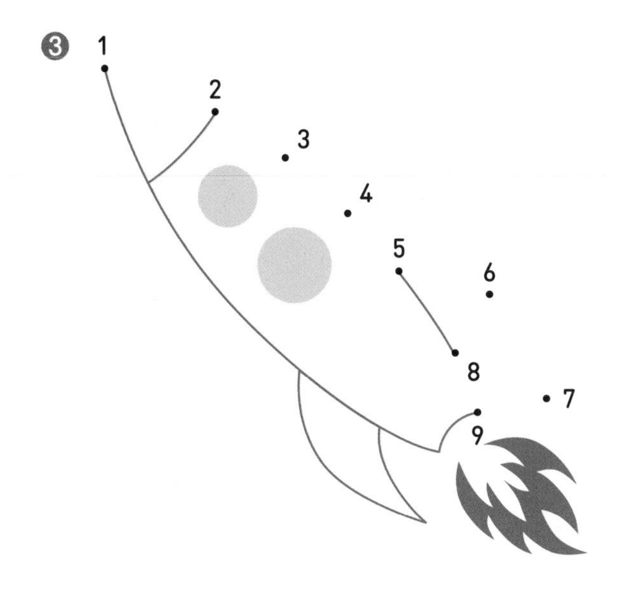

❹

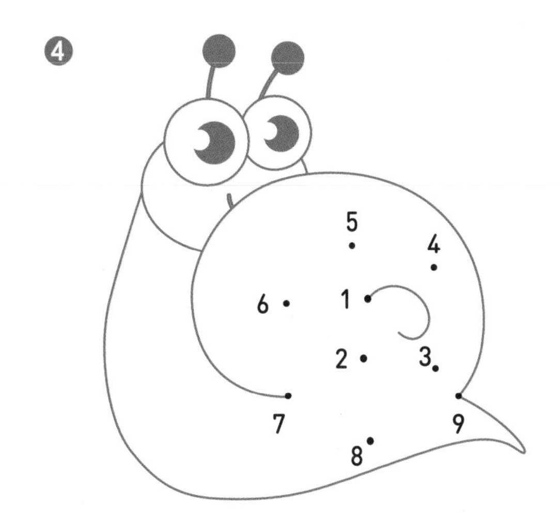

❺

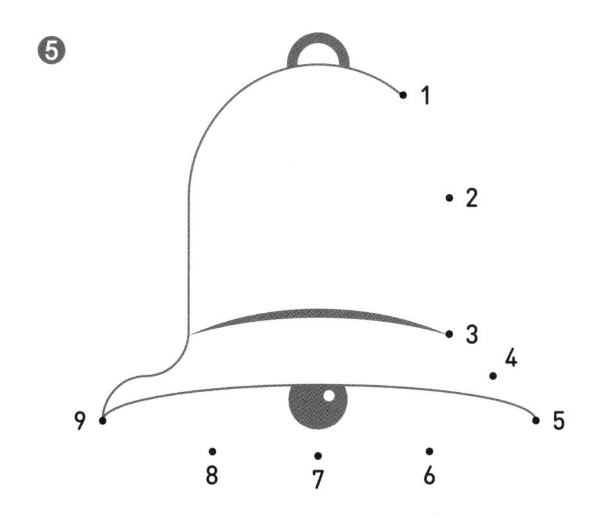

❻

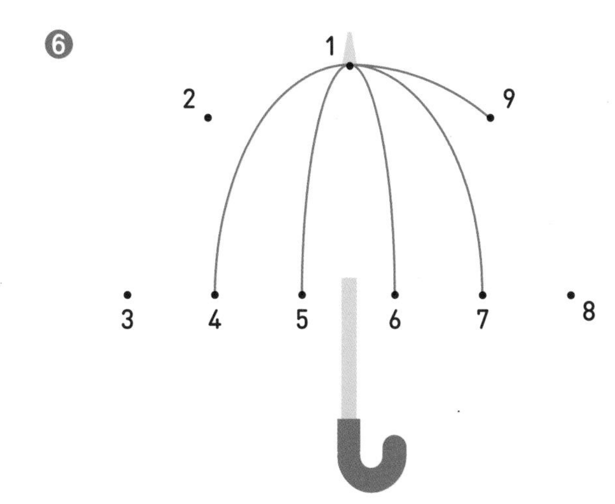

DAY 3 순서대로 수 잇기 (1)

1부터 9까지 수가 순서대로 연결되도록 가로 또는 세로 방향으로 선을 이어 보세요.

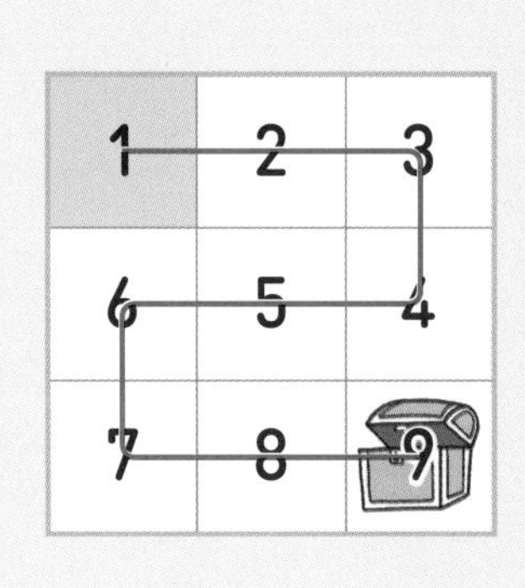

그 다음에 이어지는 수를 찾아서 선으로 이어 봐.

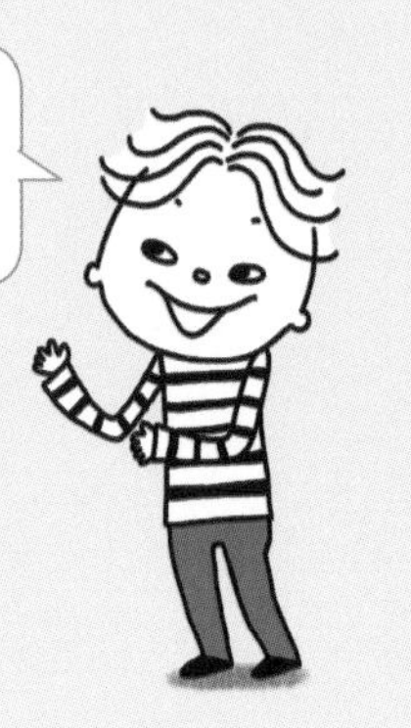

❶

1	6	7
2	5	8
3	4	9

❷

1	2	9
4	3	8
5	6	7

❸

5	4	3
6	9	2
7	8	1

❹

9	6	5
8	7	4
1	2	3

❺

3	2	1
4	5	6
9	8	7

❻

5	6	7
4	9	8
3	2	1

❼

3	2	9
4	1	8
5	6	7

❽

1	4	5
2	3	6
9	8	7

❾

5	4	3
6	7	2
9	8	1

❿

7	8	9
6	1	2
5	4	3

DAY 4 순서대로 수 잇기 (2)

1부터 9까지 수가 순서대로 연결되도록 가로 또는 세로 방향으로 선을 이어 보세요.

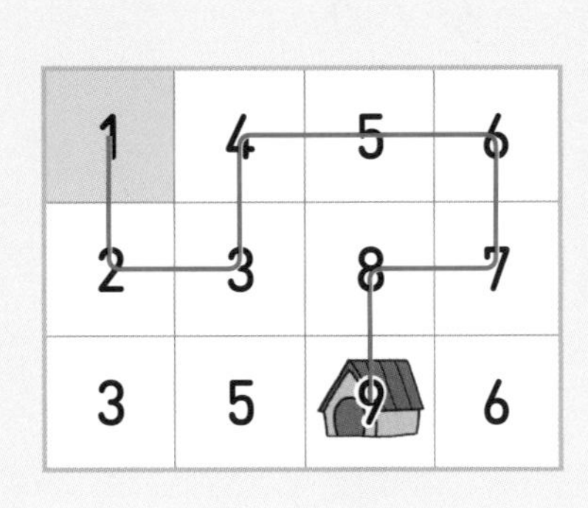

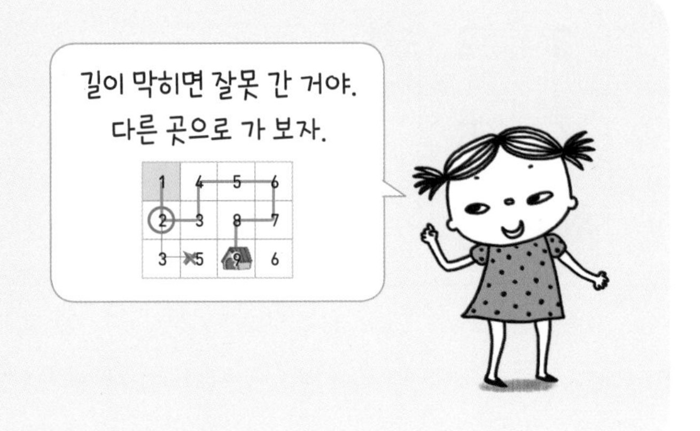

길이 막히면 잘못 간 거야.
다른 곳으로 가 보자.

❶

1	4	9	8
2	3	7	7
6	4	5	6

❷

1	2	3	6
2	5	4	9
7	6	7	8

❸

4	3	2	1
9	6	3	4
8	7	6	5

❹

7	8	7	6
2	9	4	5
1	2	3	7

❺

1	2	3	5
3	3	5	4
5	4	8	7
6	7	8	9

❻

1	2	9	6
2	4	8	7
3	4	5	6
4	6	6	8

❼

6	4	3	1
9	4	3	2
8	8	4	5
7	6	5	7

❽

7	7	6	7
3	5	5	6
2	3	4	7
1	3	9	8

순서대로 수 잇기 (3)

1부터 9까지 수를 읽은 것을 나타낸 것입니다. 수가 순서대로 연결되도록 가로 또는 세로 방향으로 선을 이어 보세요.

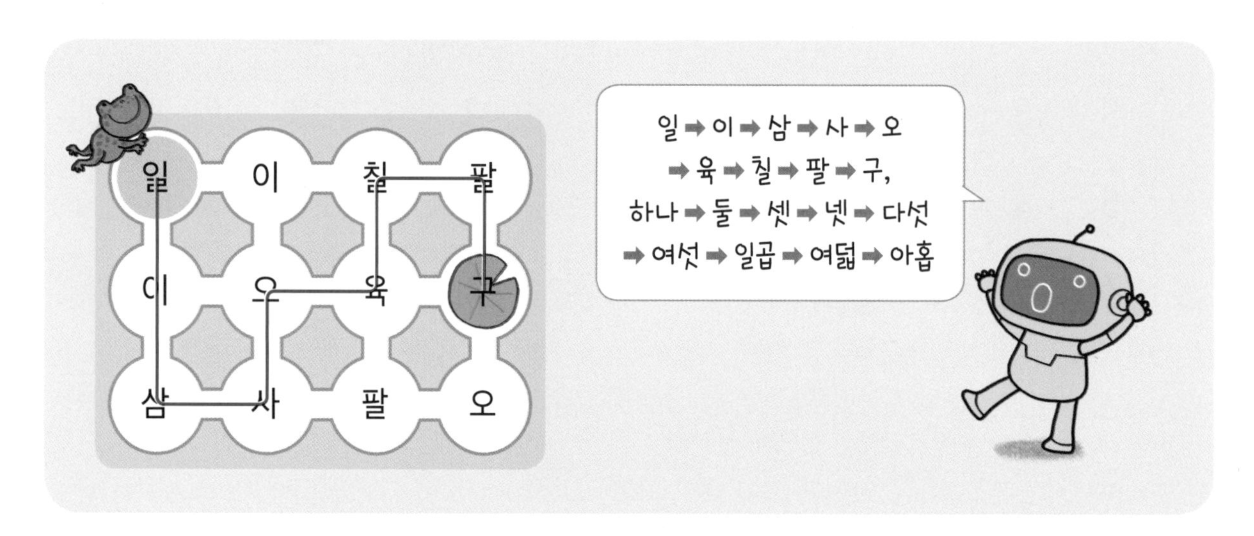

❶

❷

❸

일
이
오
칠
사
삼
사
오
구
팔
칠
육

❹

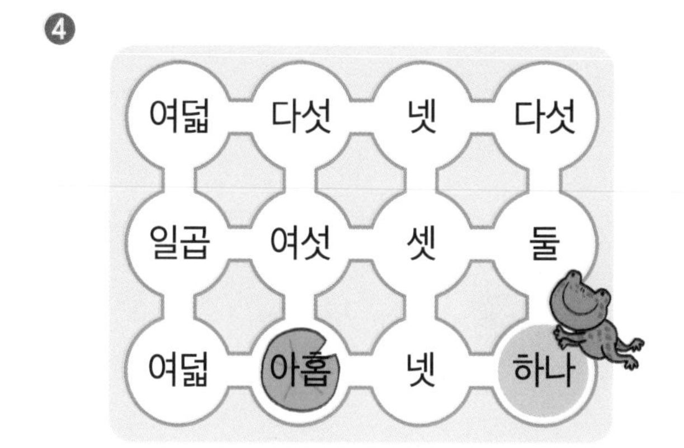
여덟
다섯
넷
다섯
일곱
여섯
셋
둘
여덟
아홉
넷
하나

❺

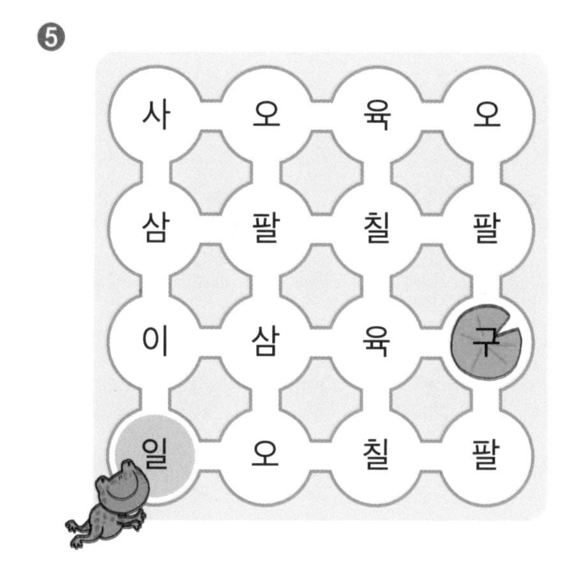
사
오
육
오
삼
팔
칠
팔
이
삼
육
구
일
오
칠
팔

❻

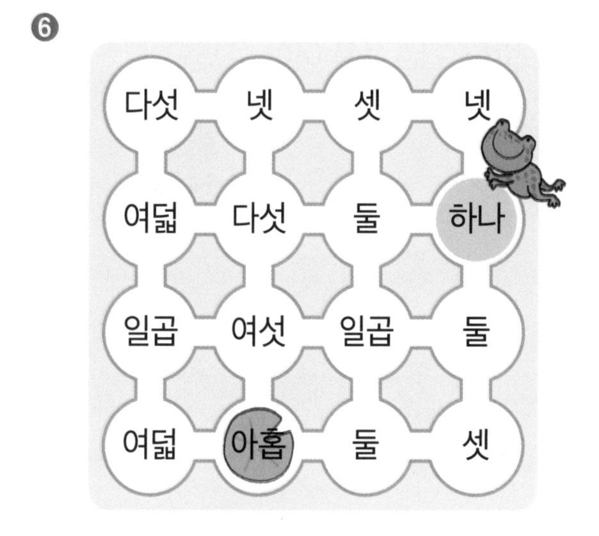
다섯
넷
셋
넷
여덟
다섯
둘
하나
일곱
여섯
일곱
둘
여덟
아홉
둘
셋

확인학습

✎ 1부터 9까지 수가 순서대로 연결되도록 가로 또는 세로 방향으로 선을 이어 보세요.

❶

1	4	5
2	3	6
9	8	7

❷

1	2	3
8	9	4
7	6	5

✎ 1부터 9까지 수를 읽은 것을 나타낸 것입니다. 수가 순서대로 연결되도록 가로 또는 세로 방향으로 선을 이어 보세요.

❸

❹

마무리 평가

마무리 평가는 앞에서 공부한 4주차의 유형이 다음과 같은 순서로 나와요.
틀린 문제는 몇 주차인지 확인하여 반드시 다시 한 번 학습하도록 해요.

1주차	3주차
2주차	4주차

TEST 1

마무리 평가

친구들이 길을 따라가며 한 종류의 과일을 가져갑니다. 가져가는 과일의 개수를 쓰세요.

❶

❷

❸

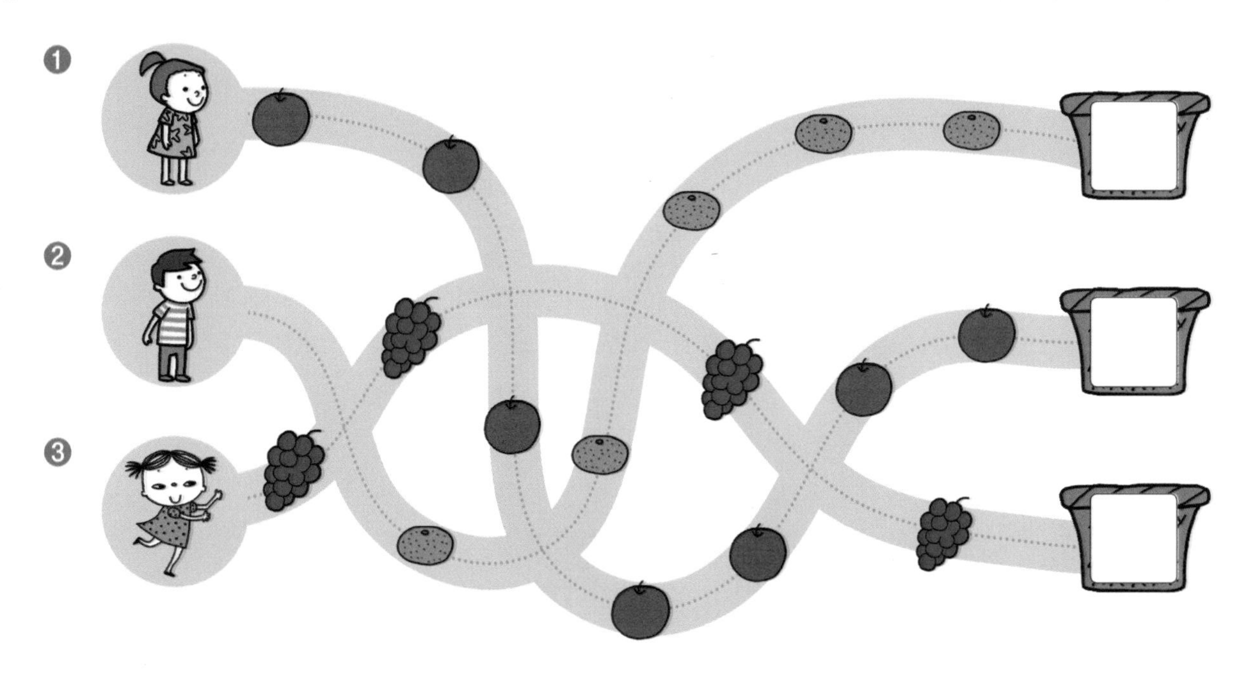

다람쥐가 곰을 피해 모든 방을 한 번씩 지나 도토리까지 가는 길을 그려 보세요.

❹ ❺

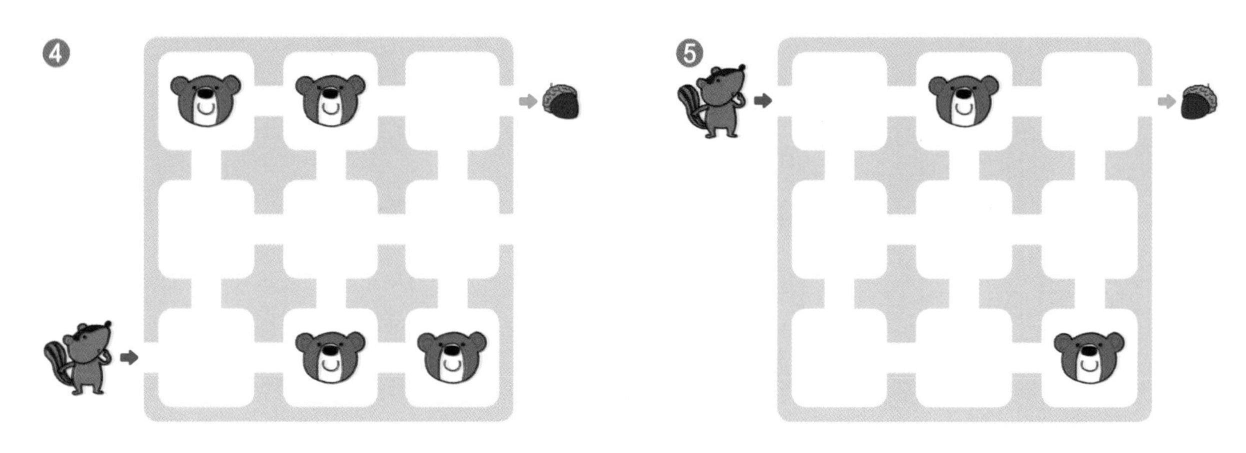

한 줄에 1, 2, 3이 각각 한 번씩만 들어가도록 ◯ 안에 알맞은 수를 써넣으세요.

❻

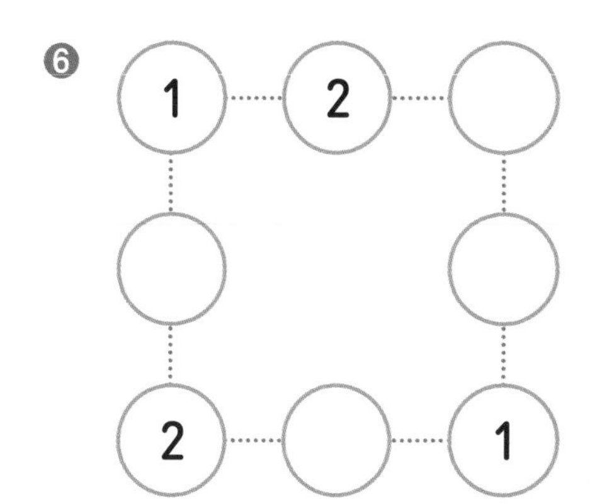

❼

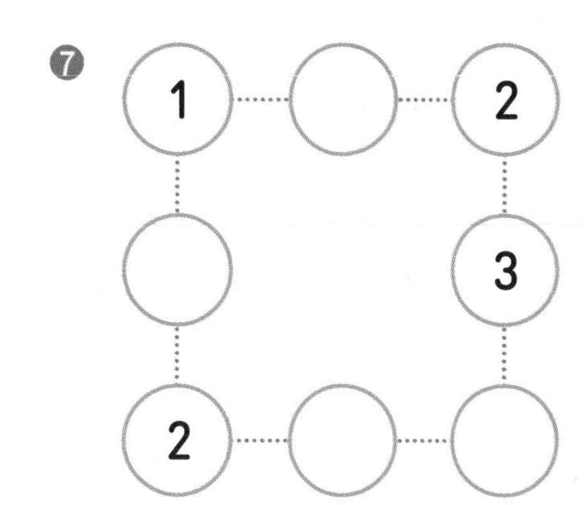

1부터 9까지 수가 순서대로 연결되도록 가로 또는 세로 방향으로 선을 이어 보세요.

❽

8	9	4	1
7	3	3	2
6	5	4	5
7	8	8	6

❾

4	3	2	1
6	4	5	6
6	5	8	9
7	6	7	6

TEST 2 마무리 평가

✤ 다람쥐가 선을 따라 가져가는 도토리의 수를 ☐ 안에 써넣으세요.

❶ ❷

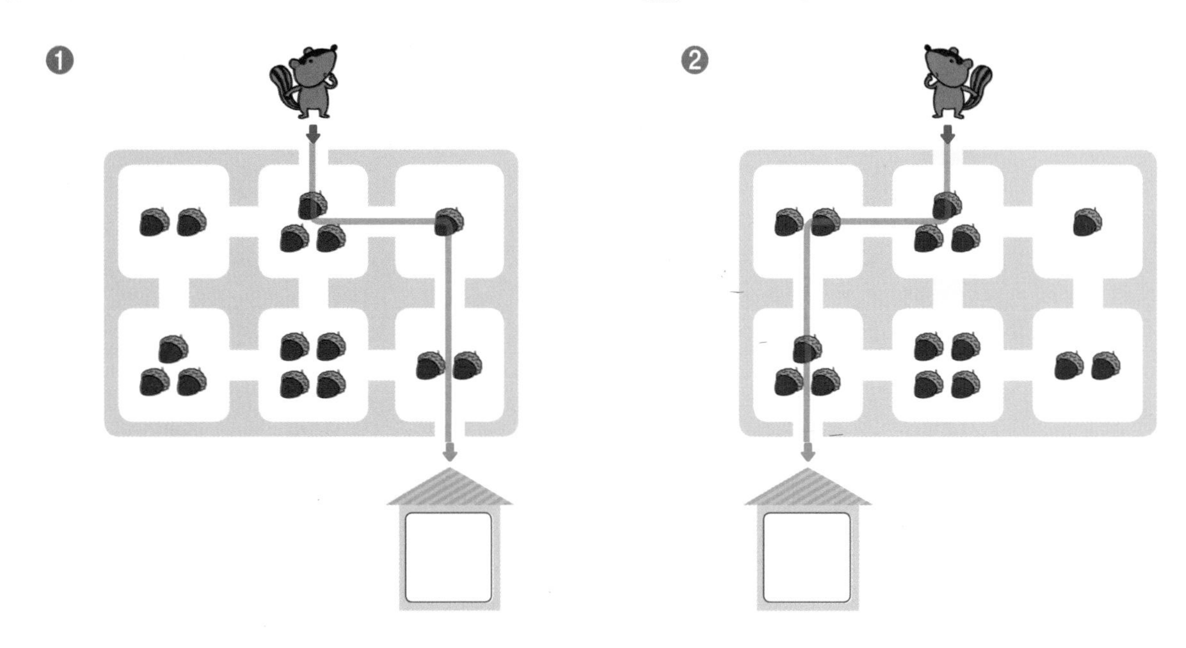

✤ 미로를 통과하는 길을 선으로 나타내세요.

❸ ❹

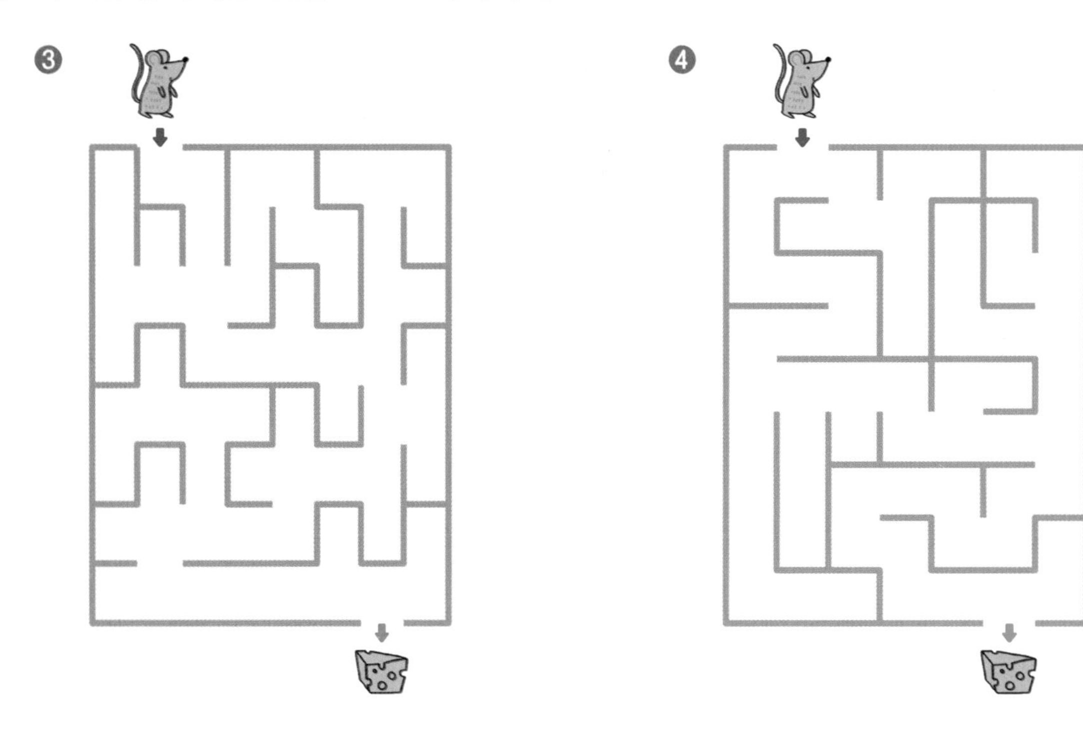

✤ 가로줄과 세로줄에 1, 2, 3이 각각 한 번씩 들어가도록 빈칸에 알맞은 수를 써넣으세요.

❺

	3	2
	1	
3		1

❻

1	2	3
2		1

✤ 1부터 9까지 수를 읽은 것을 나타낸 것입니다. 수가 순서대로 연결되도록 가로 또는 세로 방향으로 선을 이어 보세요.

❼

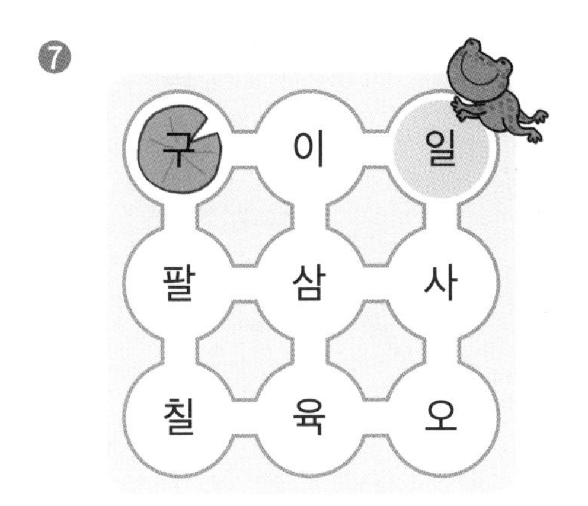

❽

TEST 3 마무리 평가

✤ 토끼가 원하는 개수만큼의 당근을 모아 집으로 가는 길을 그려 보세요.

❶

❷

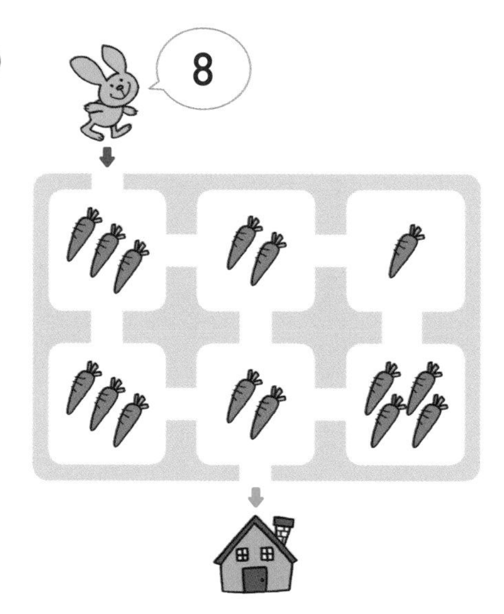

✤ 관계있는 것끼리 선을 이으세요. 단, 선은 서로 겹치지 않고 모든 칸을 지나야 합니다.

❸

❹

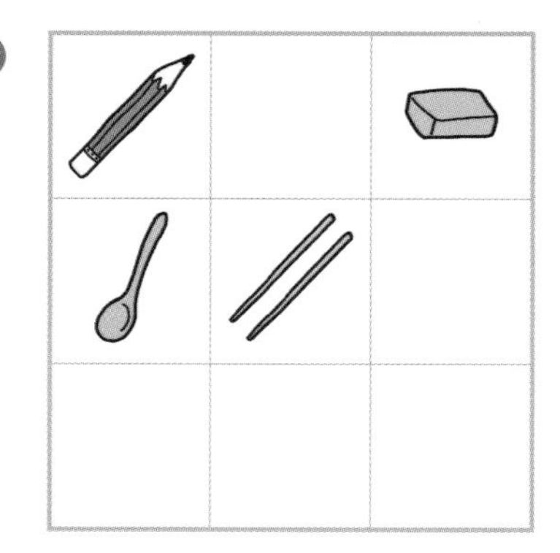

이웃한 칸의 숫자가 서로 다르도록 빈칸에 1, 2를 알맞게 써넣으세요.

❺

		2	1
1	2	1	
1			

❻

2

1

순서에 맞게 1부터 9까지 순서대로 점을 이어 보세요.

❼

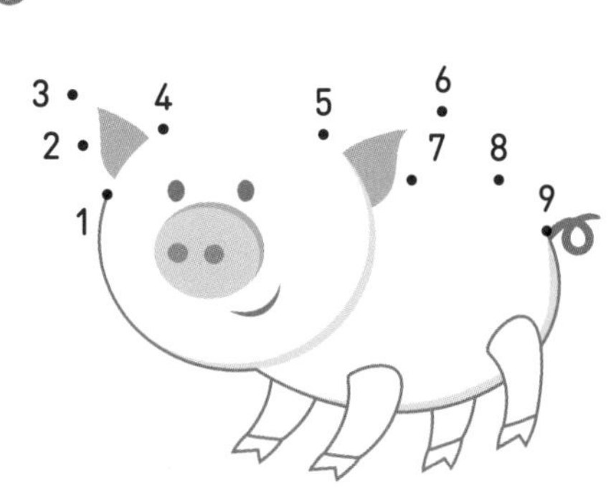

❽

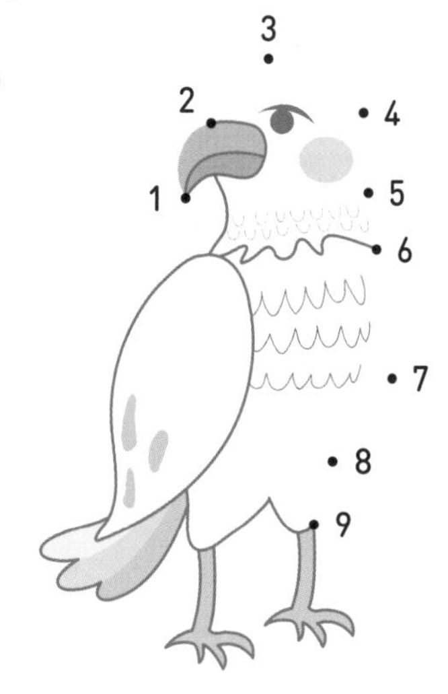

TEST 4 마무리 평가

✿ 다람쥐가 선을 따라 가져가는 도토리의 수를 ☐ 안에 써넣으세요.

❶

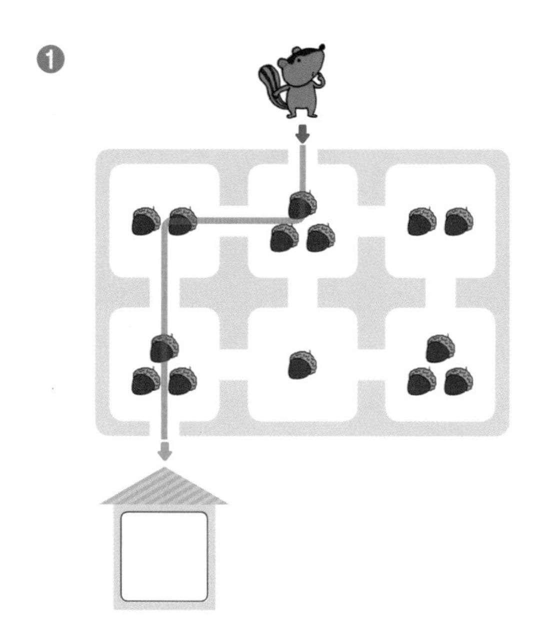

❷

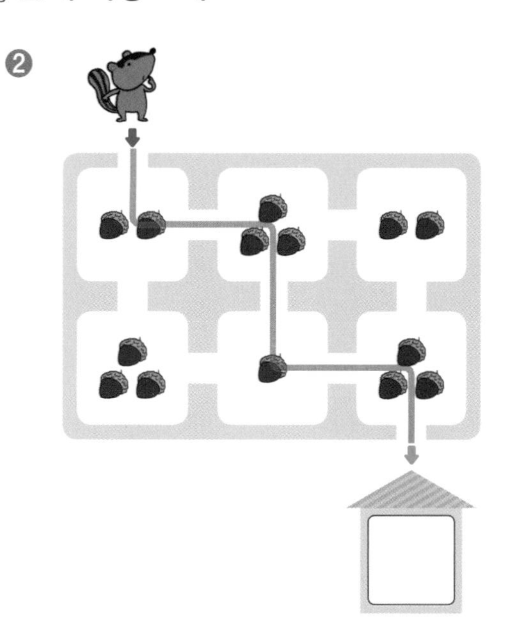

✿ 토끼가 호랑이를 피해 모든 방을 한 번씩 지나 당근까지 가는 길을 그려 보세요.

❸

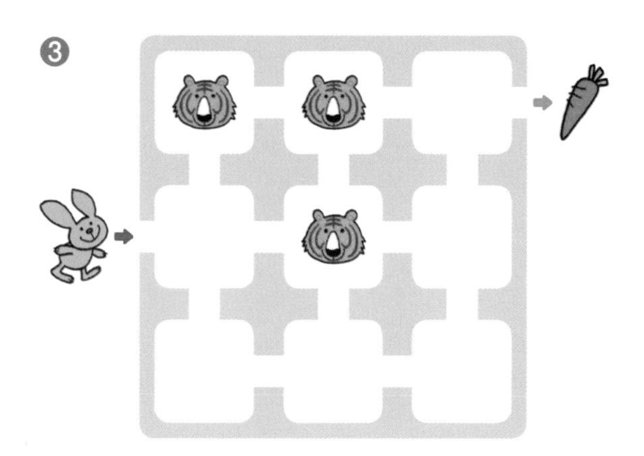

❹

✿ 이웃한 칸의 숫자가 서로 다르도록 빈칸에 1, 2, 3을 알맞게 써넣으세요.

❺

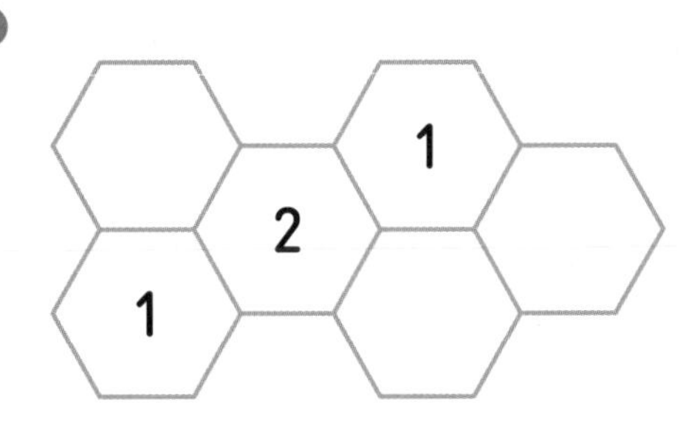

❻

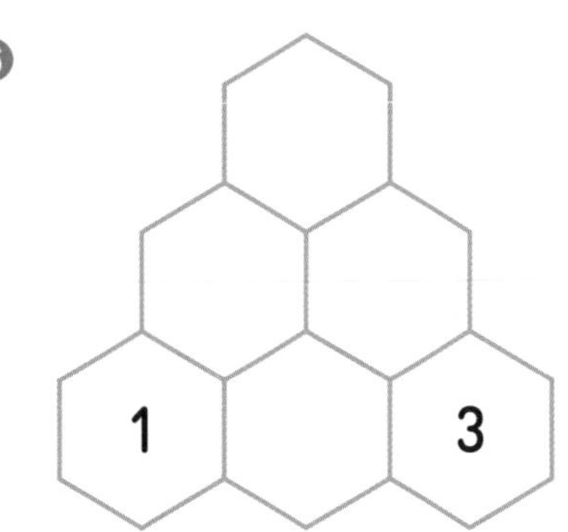

✿ 1부터 9까지 수가 순서대로 연결되도록 가로 또는 세로 방향으로 선을 이어 보세요.

❼

7	6	5
8	3	4
9	2	1

❽

3	2	9
4	1	8
5	6	7

TEST 5 마무리 평가

✿ 토끼가 원하는 개수만큼의 당근을 모아 집으로 가는 길을 그려 보세요.

❶ 8

❷

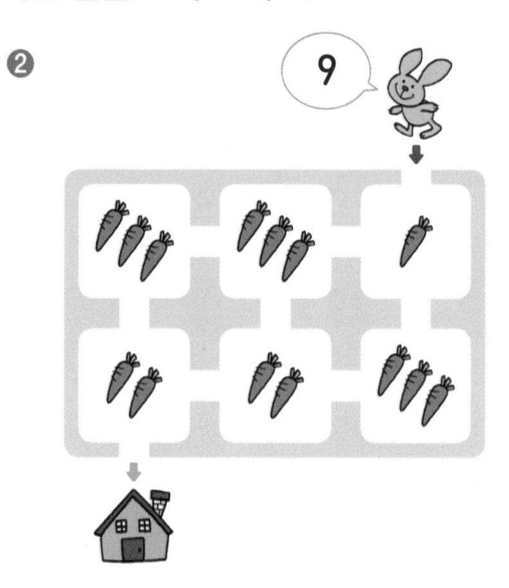

✿ 관계있는 것끼리 선을 이으세요. 단, 선은 서로 겹치지 않고 모든 칸을 지나야 합니다.

❸

비행기		배
바다	하늘	
땅		기차

❹

	겨울	덥다
	여름	
	춥다	

가로줄과 세로줄에 1, 2, 3, 4가 각각 한 번씩 들어가도록 빈칸에 알맞은 수를 써넣으세요.

⑤

1		2	3
	3	4	1
4		3	
	2	1	

⑥

	3		1
1		3	
4	1	2	3
3			2

1부터 9까지 수를 읽은 것을 나타낸 것입니다. 수가 순서대로 연결되도록 가로 또는 세로 방향으로 선을 이어 보세요.

⑦

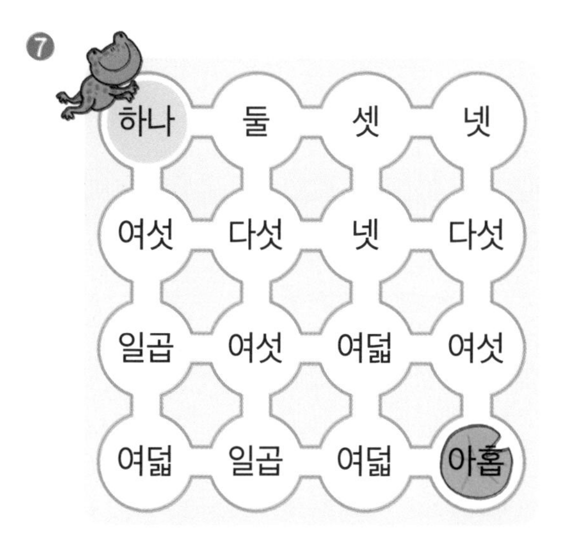

⑧

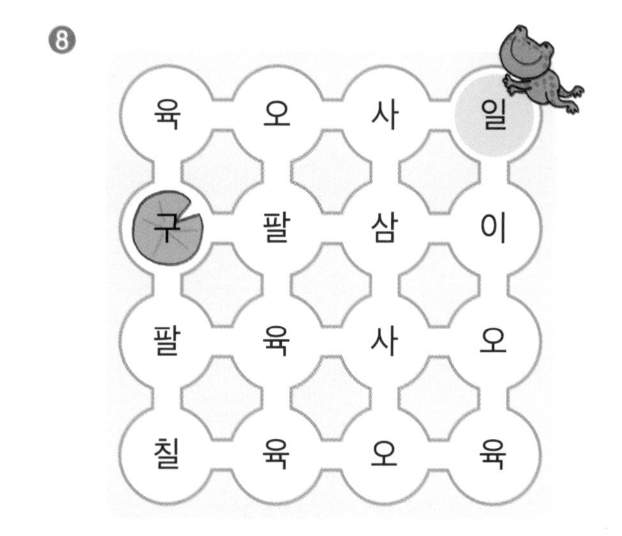

pensées

사고가 자라는 수학
씨투엠

‘사고력수학의 시작’

팡세

pensées

S2

정답과 풀이

‘사고력수학의 시작’

팡세

pensées

S2

정답과 풀이

1 주차 세기 퍼즐

DAY 1 개수 세기

pensées

동물을 찾아 세어 보세요.

❶  : 2

❷  : 4

❸  : 5

❹  : 8

❺ 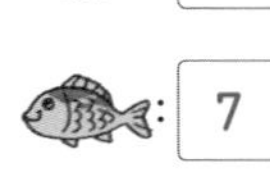 : 3

❻  : 7

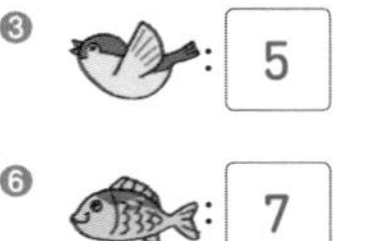
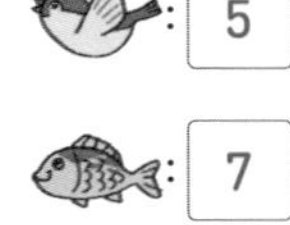

물건을 찾아 세어 보세요.

❼ : 6

❽ : 5

❾ 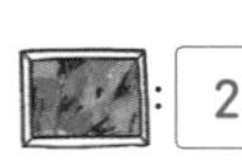 : 2

❿ : 7

⓫  : 8

⓬   : 3

DAY 2 달라진 개수

그림을 보고 달라진 것의 개수를 쓰세요.

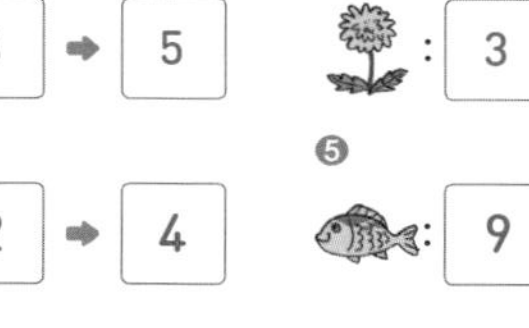

❶ : 8 ➡ 5

❷ : 3 ➡ 6

❸ : 5 ➡ 2

❹ : 2 ➡ 4

❺ : 9 ➡ 8

❻ : 6 ➡ 7

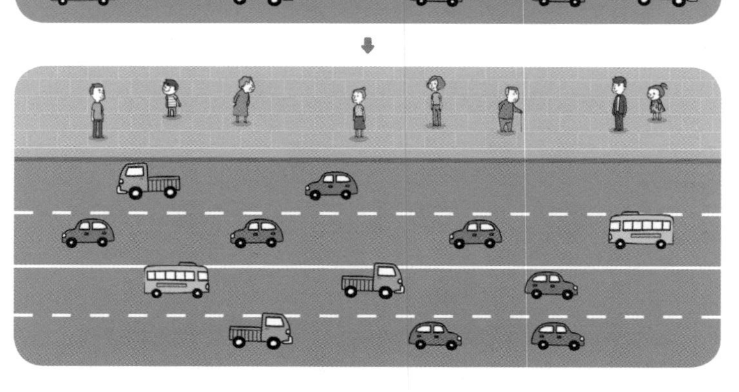

❼ : 6 ➡ 7

❽ : 5 ➡ 3

❾ : 4 ➡ 2

DAY 3 길 따라 개수 세기 (1)

동물들이 길을 따라가며 한 종류의 먹이를 가져갑니다. 가져가는 먹이의 개수를 쓰세요.

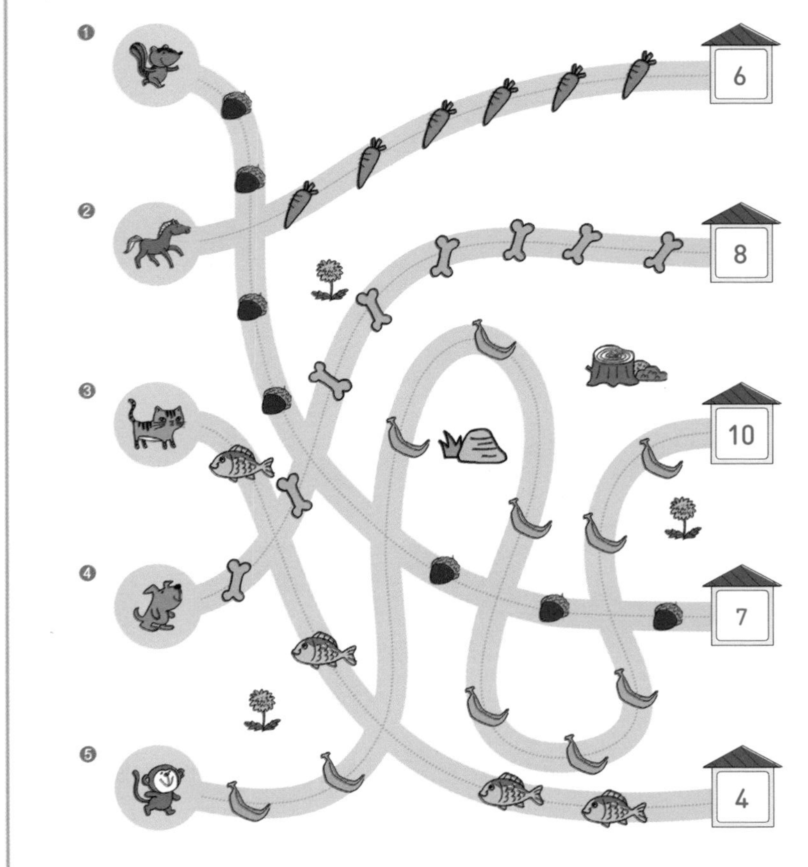

pensées

친구들이 길을 따라가며 한 종류의 과일을 가져갑니다. 가져가는 과일의 개수를 쓰세요.

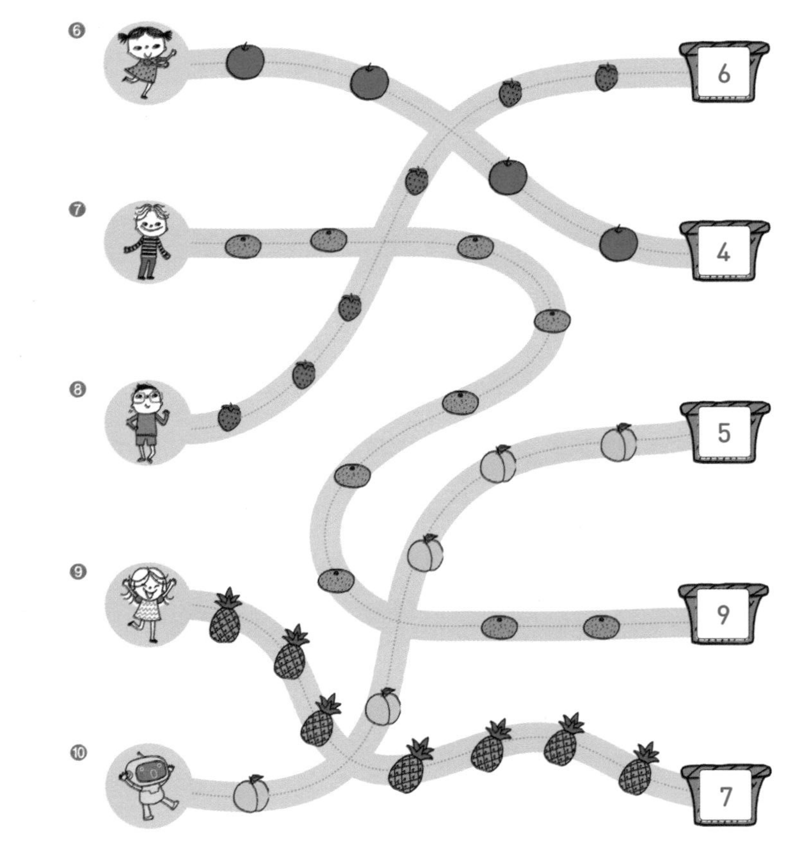

DAY 4 길 따라 개수 세기 (2)

다람쥐가 선을 따라 가져가는 도토리의 개수를 □ 안에 써넣으세요.

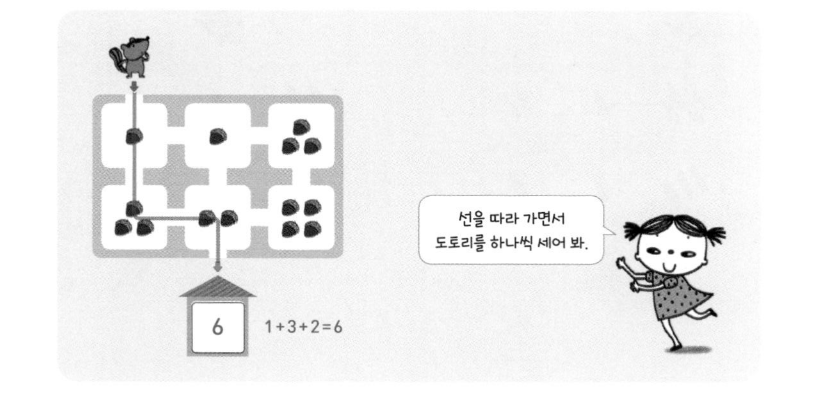

❶

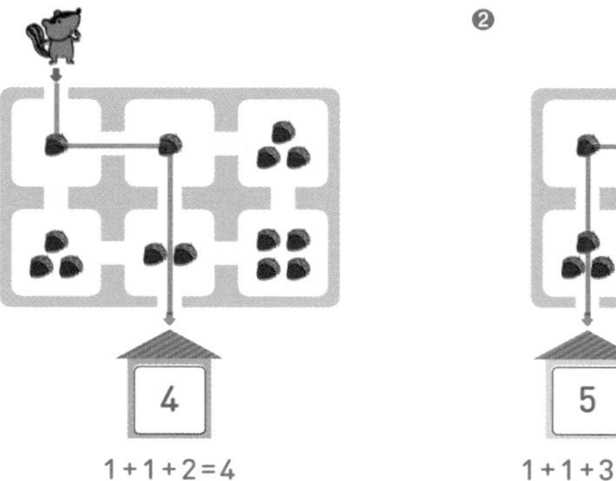

❷

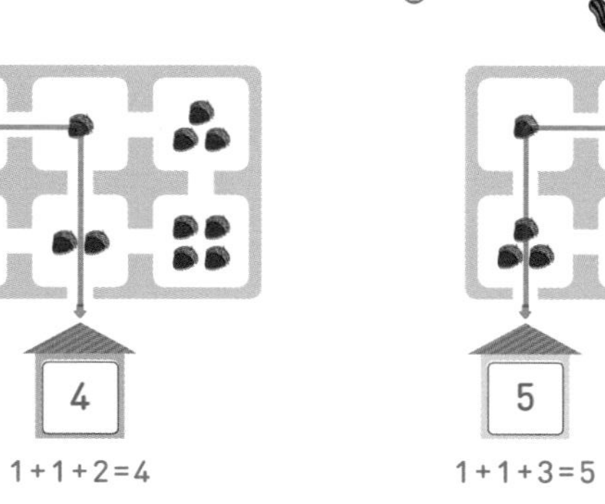

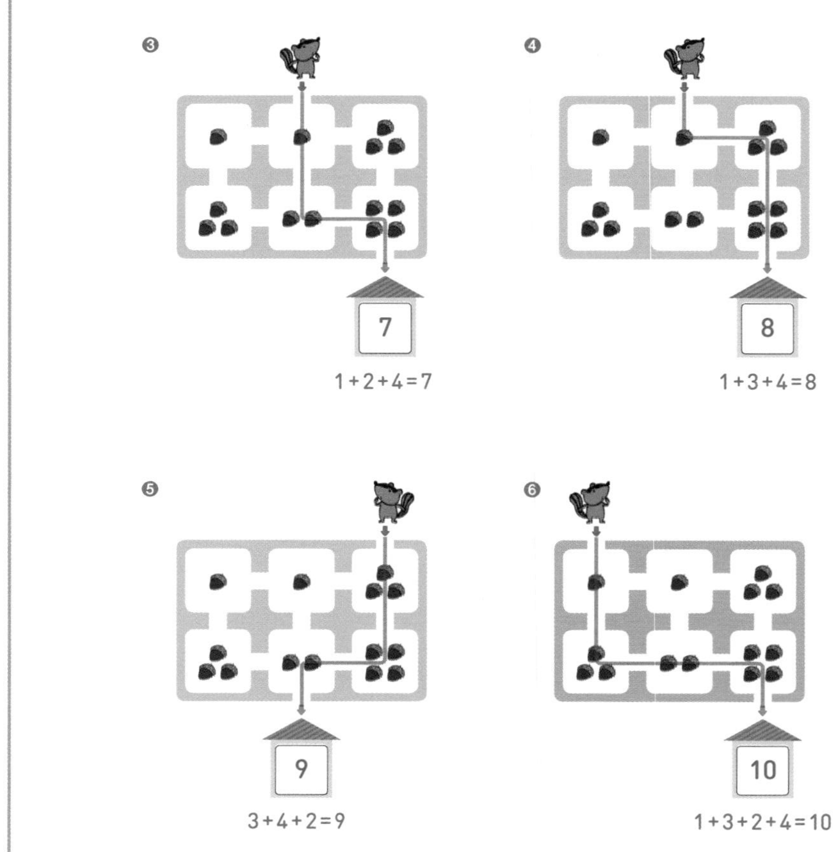

DAY 5 모아서 가는 길

토끼가 원하는 개수만큼의 당근을 모아 집으로 가는 길을 그려 보세요.

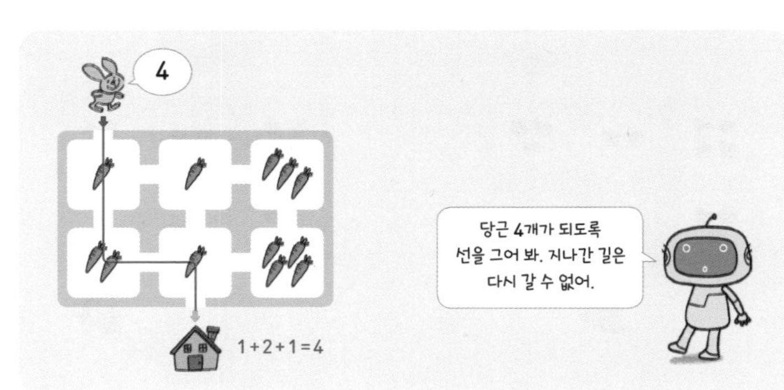

4
1+2+1=4
당근 4개가 되도록
선을 그어 봐. 지나간 길은
다시 갈 수 없어.

❶

❷

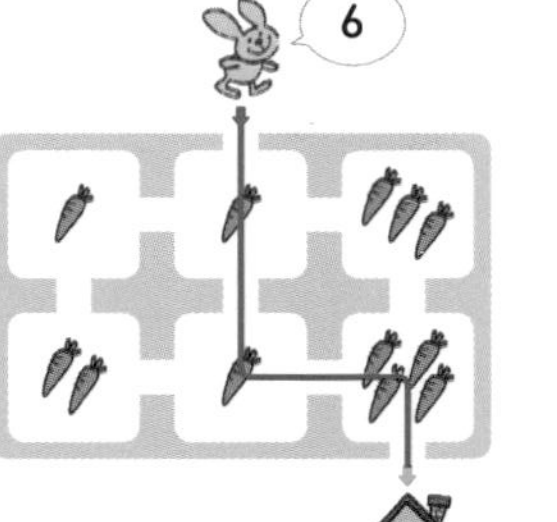
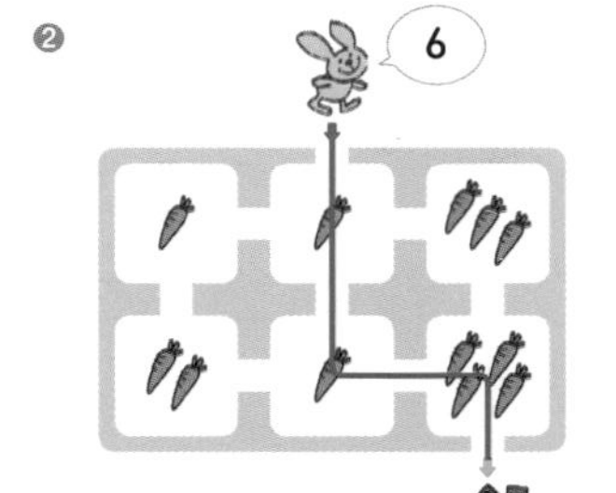

❸

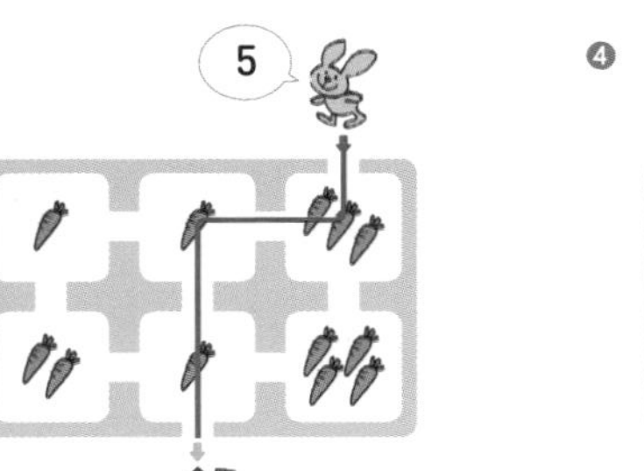

❹

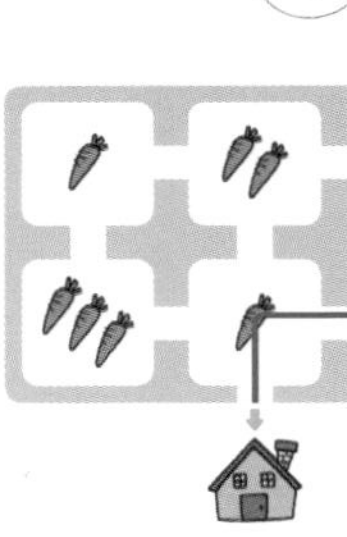

❺

❻

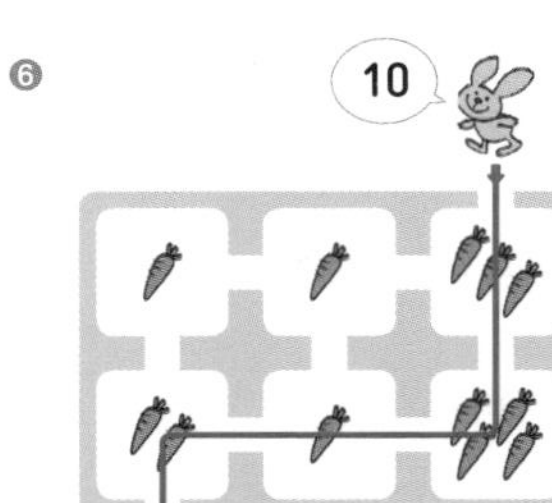

1 주차

확인학습

다람쥐가 선을 따라 가져가는 도토리의 개수를 □ 안에 써넣으세요.

❶ 6

1+2+3=6

❷ 8

2+3+3=8

토끼가 원하는 개수만큼의 당근을 모아 집으로 가는 길을 그려 보세요.

❸ 6

2+3+1=6

❹ 7

2+4+1=7

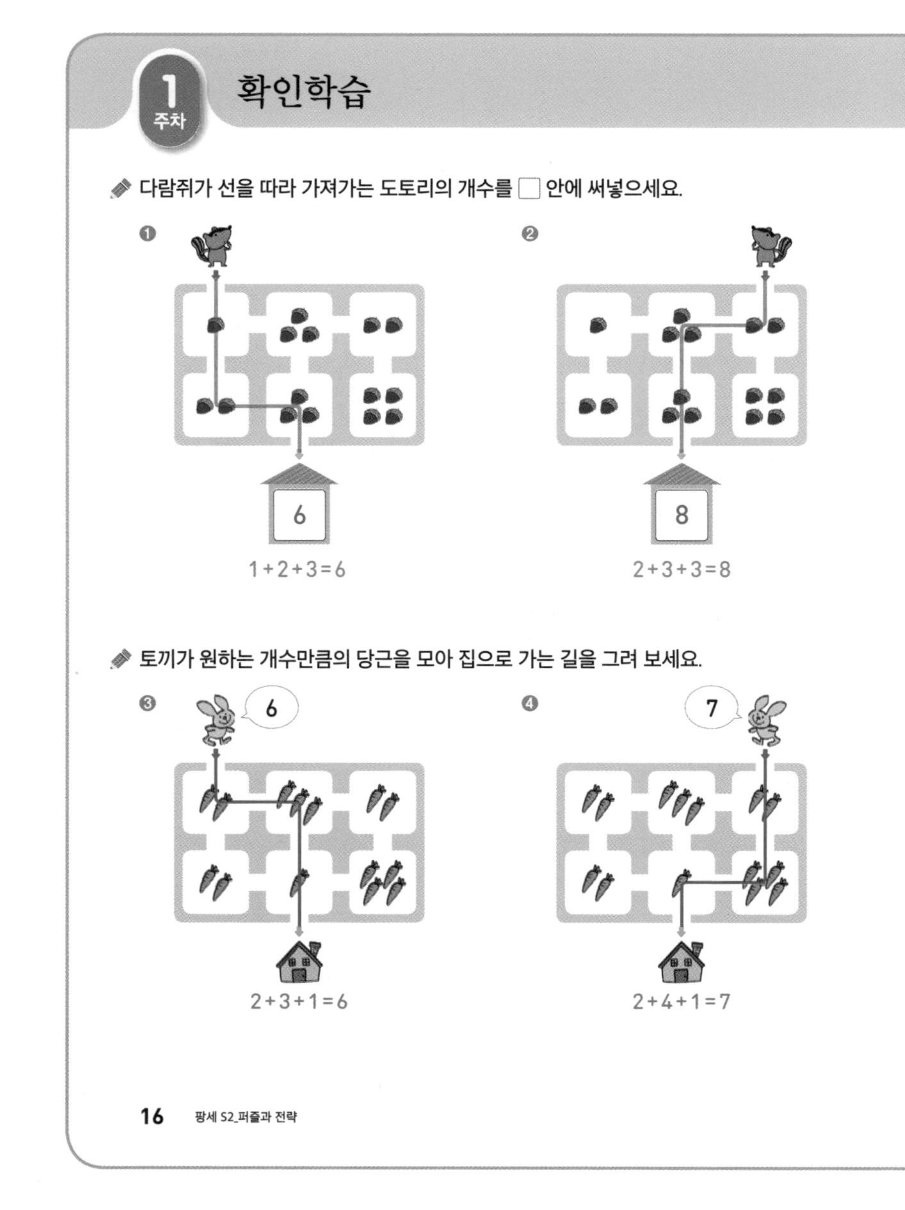

2주차 선 잇기 퍼즐

DAY 1 선 따라 잇기

빨간색, 파란색, 초록색 색연필을 이용하여 선을 따라 이어 보세요.

❶

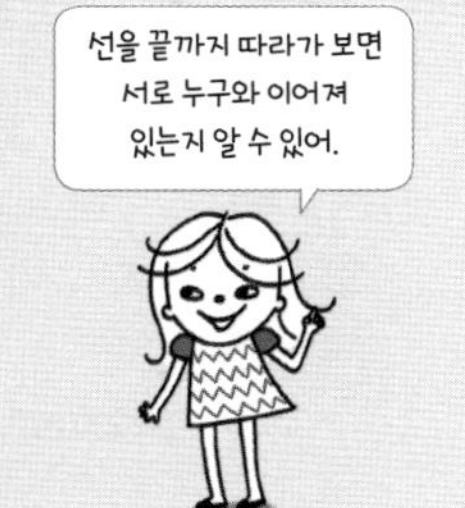

선을 끝까지 따라가 보면
서로 누구와 이어져
있는지 알 수 있어.

❷

자물쇠에 맞는 열쇠를 찾아 ◯표 하세요.

❸

❹

미로 탈출

미로를 통과하는 길을 선으로 나타내세요.

미로는 길을 따라
출발점에서
도착점까지 가는
퍼즐이야.

❶

❷

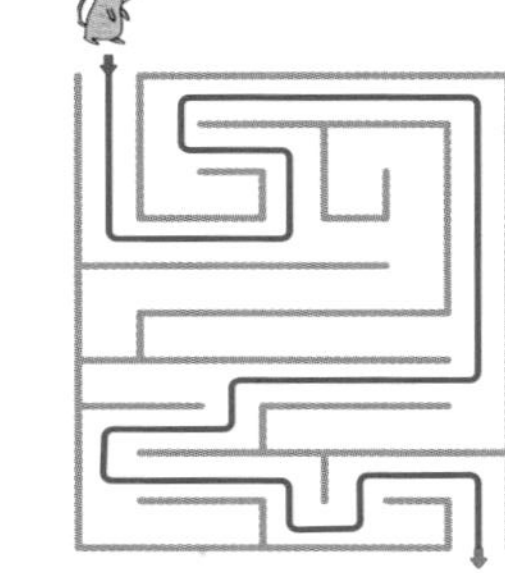

❸

❹

❺

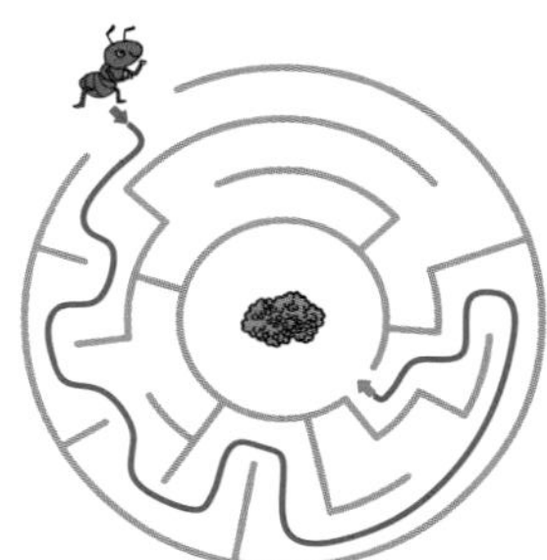

❻

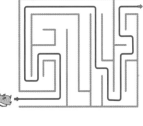

DAY 3 모든 방 지나기 (1)

토끼가 호랑이를 피해 모든 방을 한 번씩 지나 당근까지 가는 길을 그려 보세요.

❶

❷

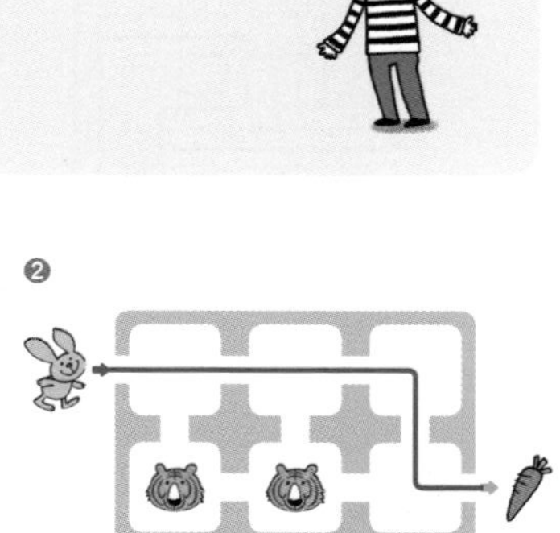

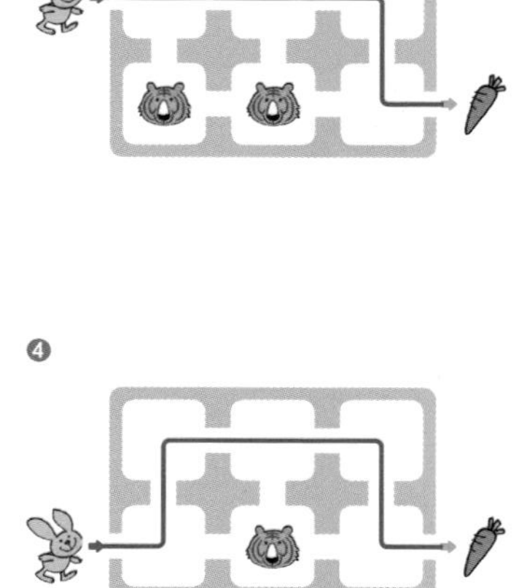

❸

❹

❺

❻

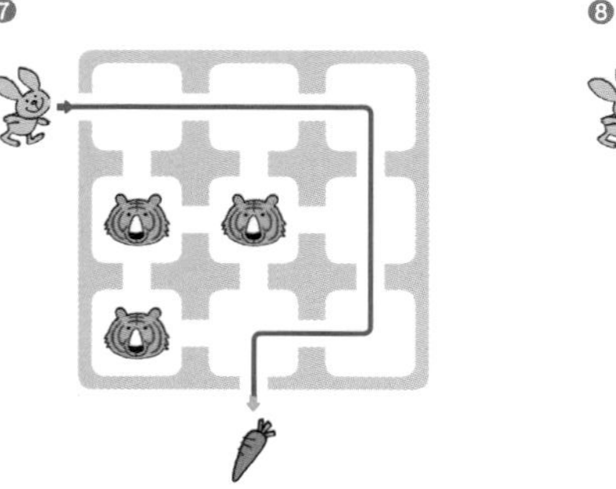

❼

❽

DAY 4 모든 방 지나기 (2)

다람쥐가 곰을 피해 모든 방을 한 번씩 지나 도토리까지 가는 길을 그려 보세요.

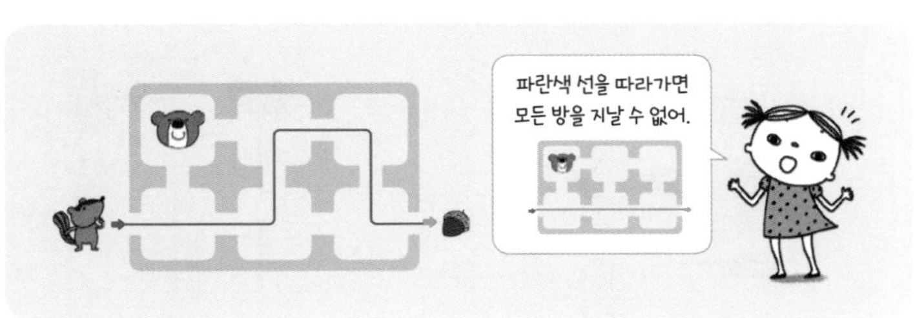

파란색 선을 따라가면
모든 방을 지날 수 없어.

❶ ❷

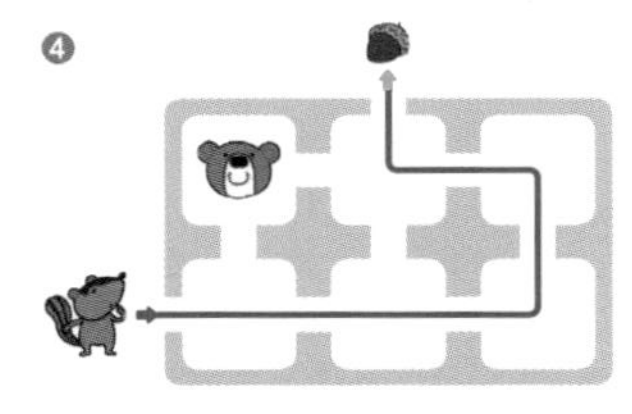

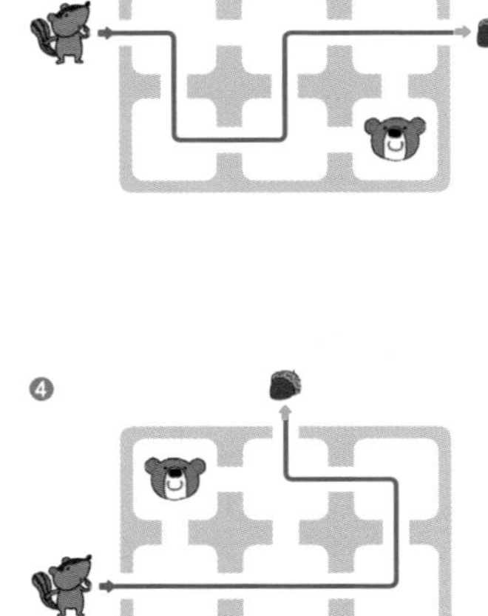

❸ ❹

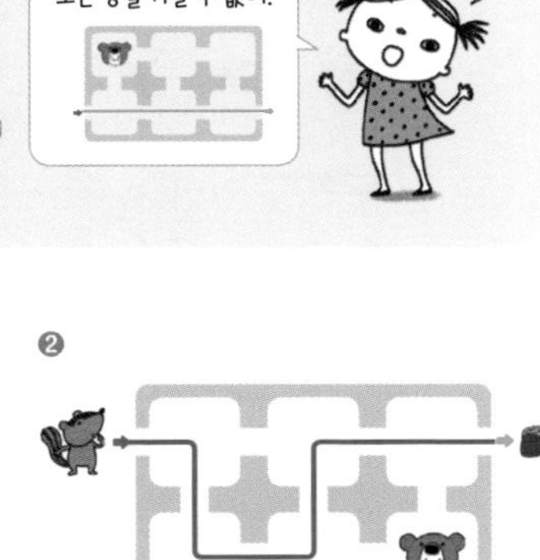

❺ ❻

❼ ❽

2주차 선 잇기 퍼즐

DAY 5 짝짓기

관계있는 것끼리 선을 이으세요. 단, 선은 서로 겹치지 않고 모든 칸을 지나야 합니다.

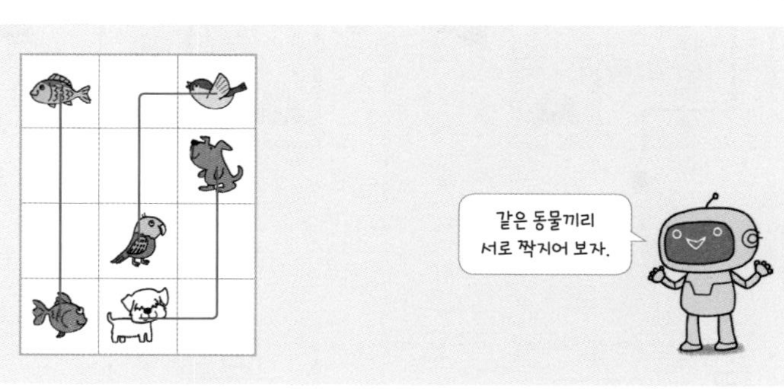

❶

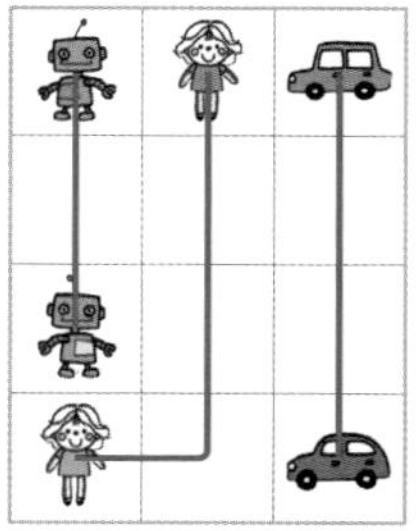

❷

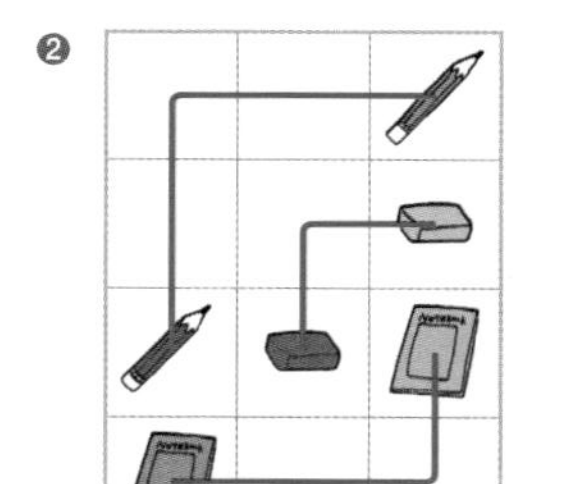

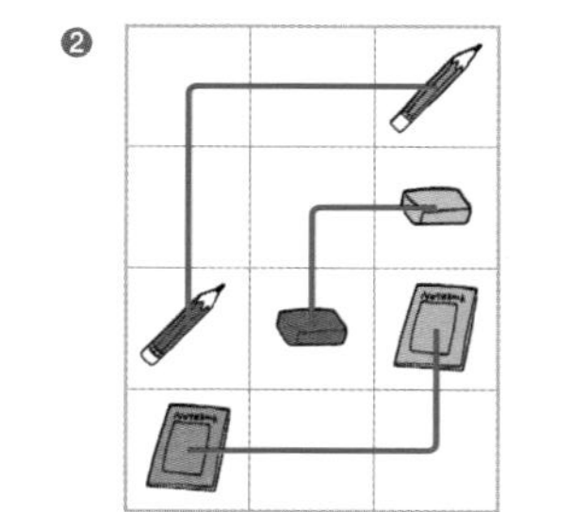

모든 칸을 한 번씩 지나가도록 선을 그어 봅니다.

❸

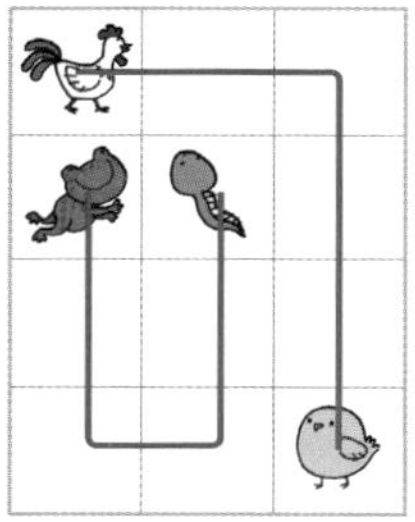

병아리는 닭이 되고, 올챙이는 개구리가 됩니다.

❹

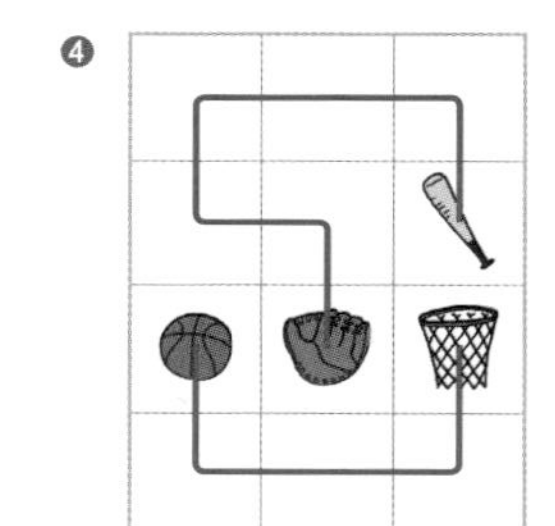

야구와 농구로 짝을 지을 수 있습니다.

❺

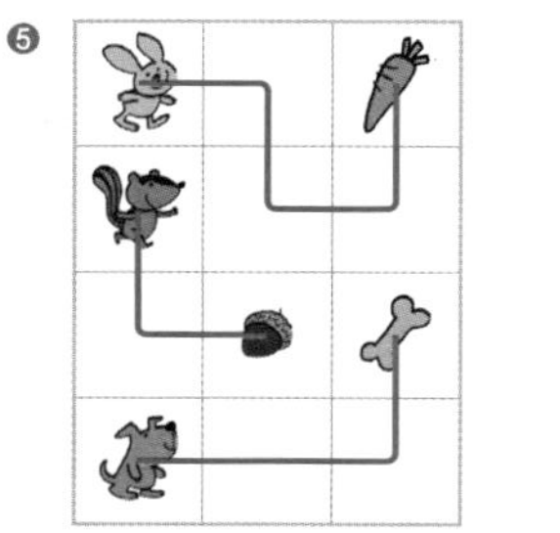

토끼는 당근을, 다람쥐는 도토리를, 강아지는 뼈다귀를 좋아합니다.

❻

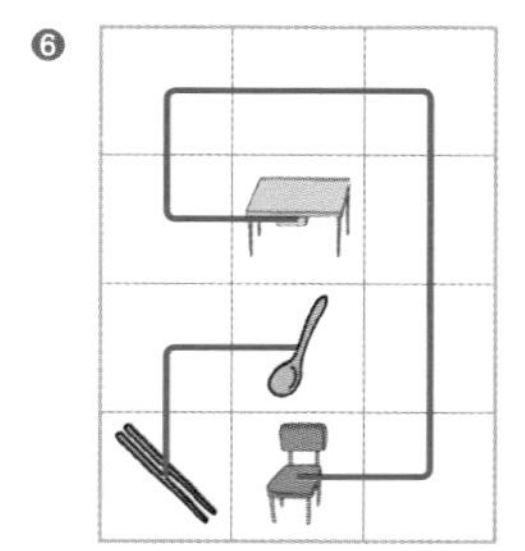

(책상과 의자), (숟가락과 젓가락)으로 짝을 지을 수 있습니다.

2 주차 확인학습

토끼가 호랑이를 피해 모든 방을 한 번씩 지나 당근까지 가는 길을 그려 보세요.

❶

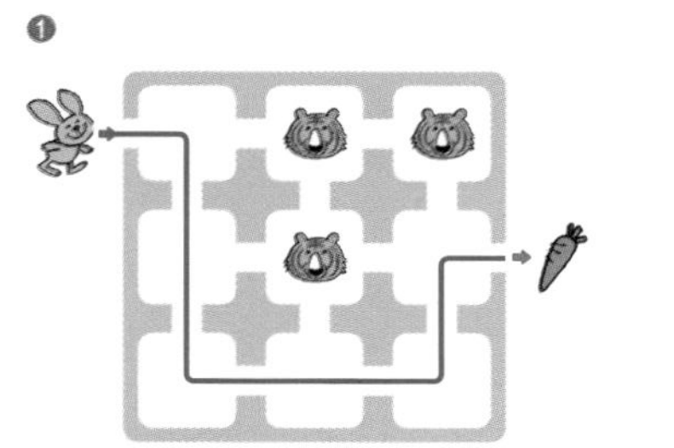

❷

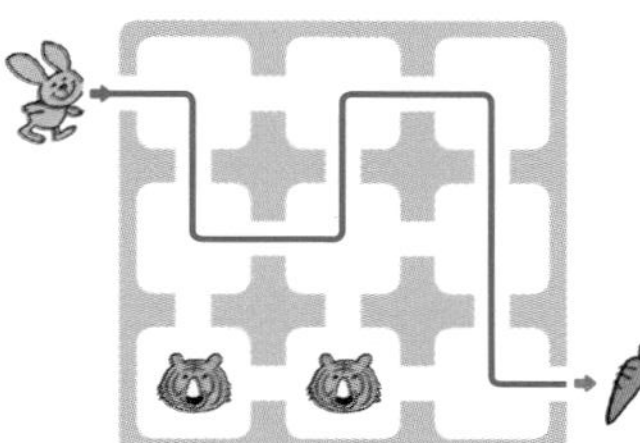

관계있는 것끼리 선을 이으세요. 단, 선은 서로 겹치지 않고 모든 칸을 지나야 합니다.

❸

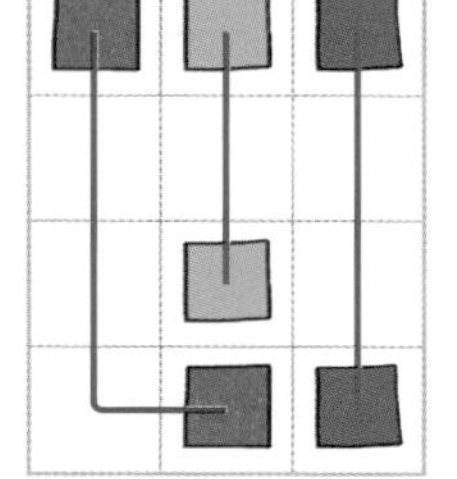

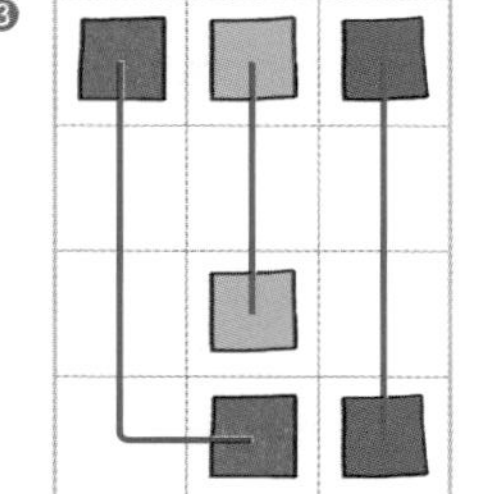

❹

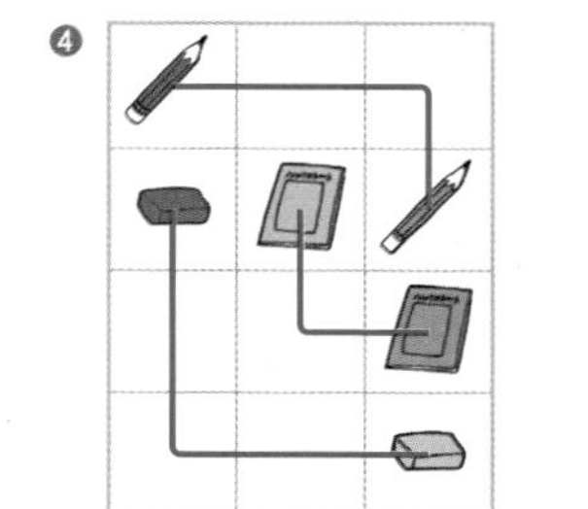

3주차 써넣기 퍼즐

DAY 1 다른 색 칠하기

이웃한 곳에는 다른 색깔이 들어가도록 빨간색, 파란색을 알맞게 색칠하세요.

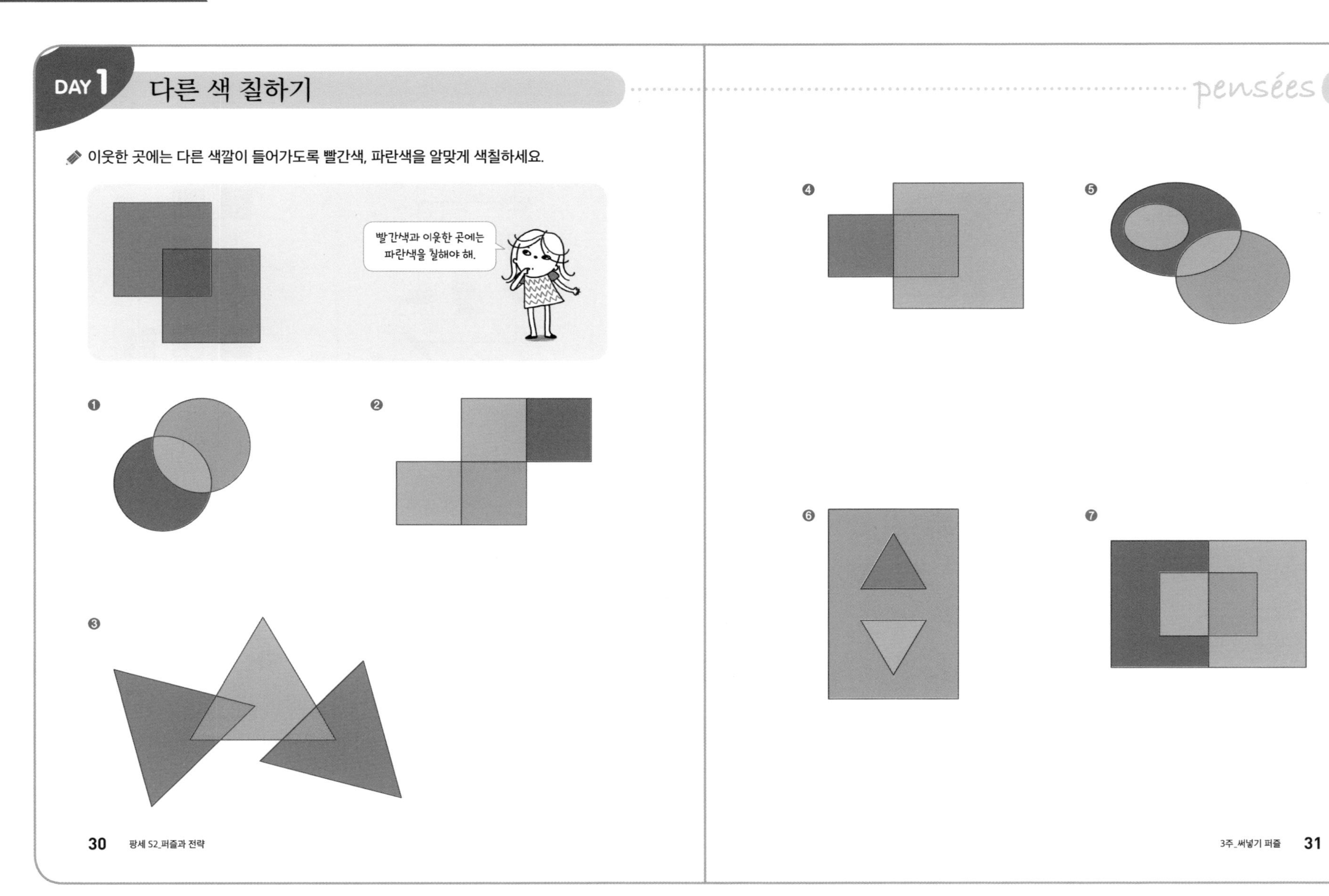
빨간색과 이웃한 곳에는
파란색을 칠해야 해.
pensées
❶
❷
❸
❹
❺
❻
❼

DAY 2 다른 숫자 써넣기 (1)

이웃한 칸의 숫자가 서로 다르도록 빈칸에 1, 2를 알맞게 써넣으세요.

1	2
2	1

1과 이웃한 칸에는
1을 쓸 수 없으므로 2를 써야 해.

1	2
2	

❶

1	2	1	2

❷

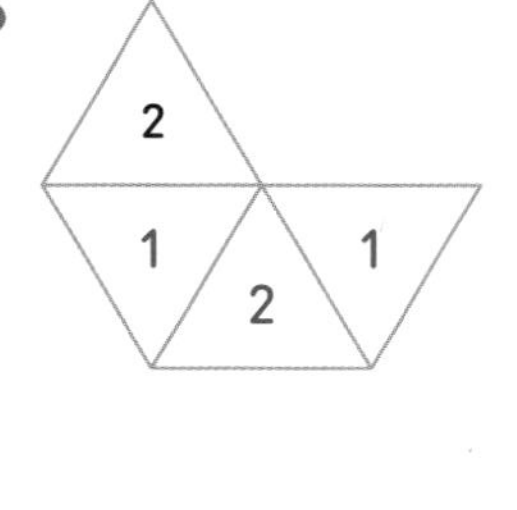

❸

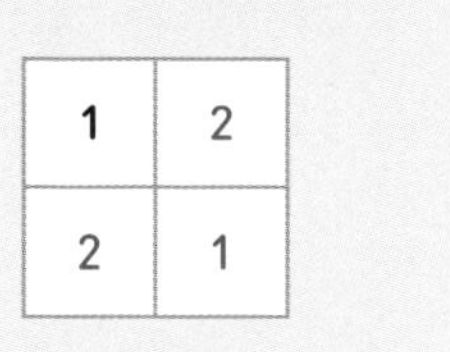

❹

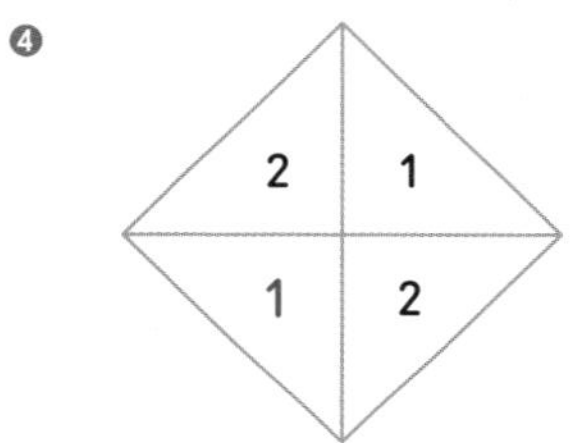

❺

1	2	1
2	1	2

❻

	2	
2	1	2
	2	

❼

1
2 2
1 1
2

❽

1 2
1 2
2 1 1
2

❾

1	2	1
2	1	2
1	2	1

❿

1
2
2 1 1 2
2
1

3주차 써넣기 퍼즐

DAY 3 다른 숫자 써넣기 (2)

이웃한 칸의 숫자가 서로 다르도록 빈칸에 1, 2, 3을 알맞게 써넣으세요.

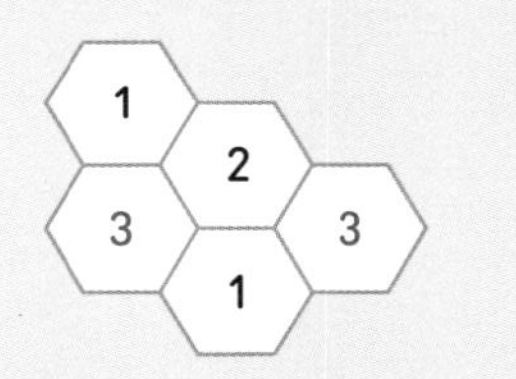

❶

❷

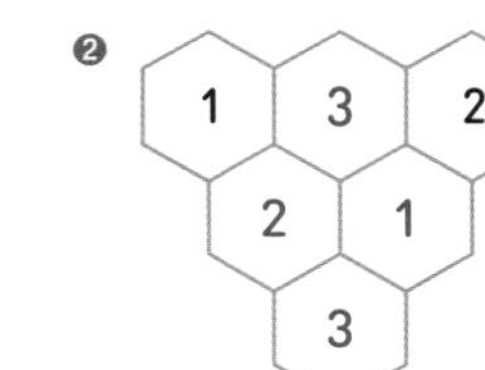

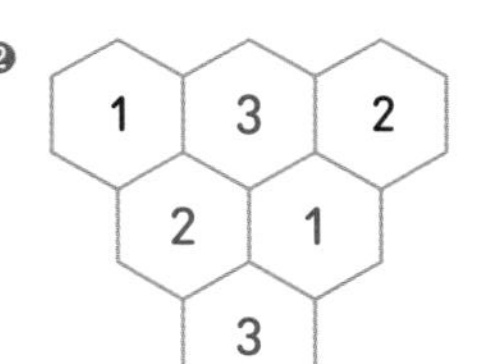

❸

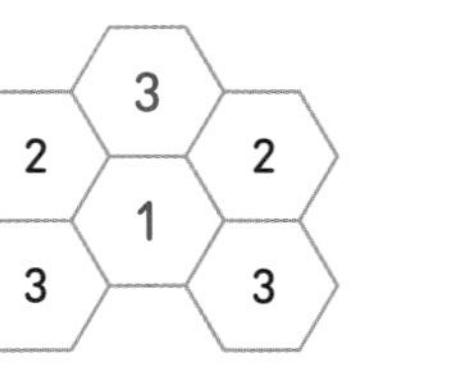

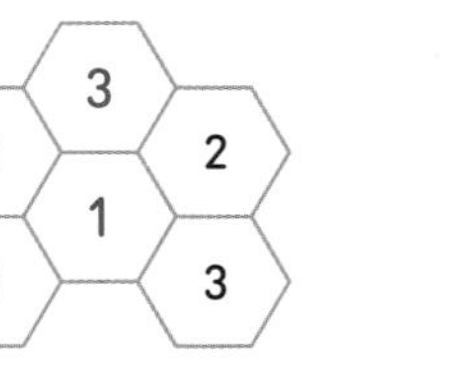

❹

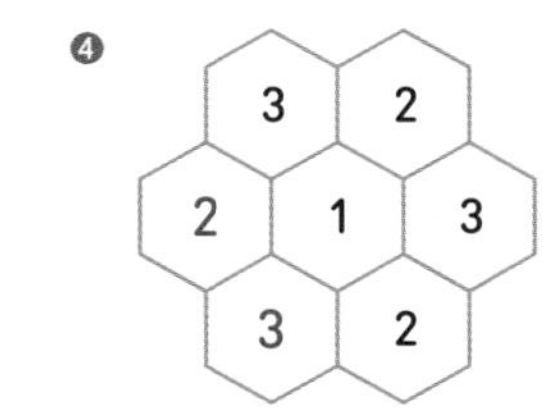

pensées

❺

	1	2	
2	3	1	

❻

	1	
2	3	
3	1	2

❼

1	2	3	
	3	1	2

❽

2	3	
3	1	2
2	3	

❾

	1	3
3	2	1
	1	3

❿

1	2	3
	3	1
1	2	3

DAY 4 한 줄에 하나씩 (1)

✎ 한 줄에 1, 2, 3이 각각 한 번씩만 들어가도록 ◯ 안에 알맞은 수를 써넣으세요.

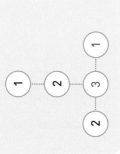

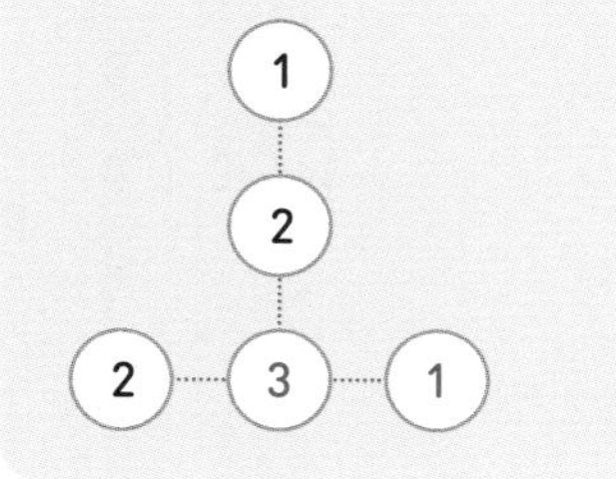

빨간색 선으로 연결된 줄에
3이 없으니까 3을 쓰면 돼.

❶

❷

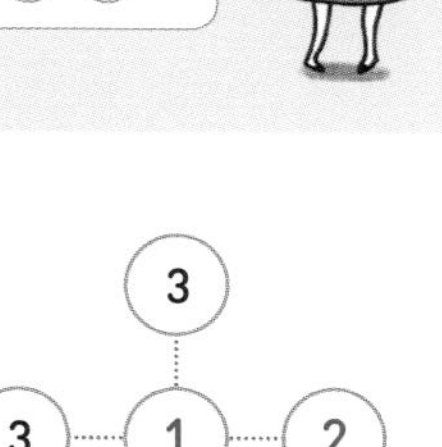

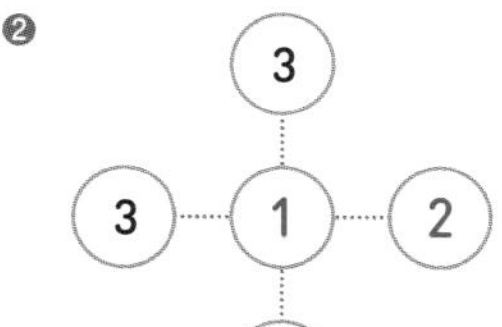

❸

❹

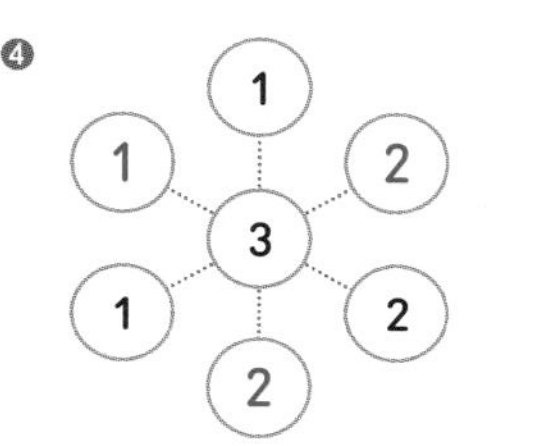

❺

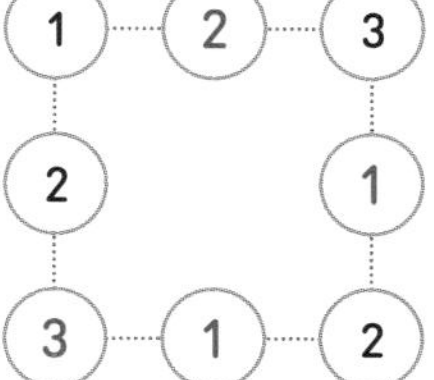

❻

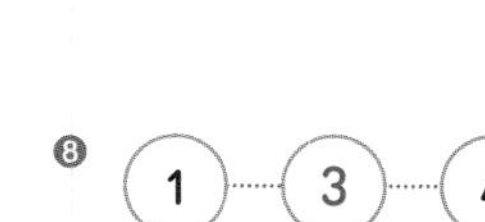
지금부터는 1, 2, 3, 4가
각각 한 번씩만
들어가도록 해 보자.

❼

❽

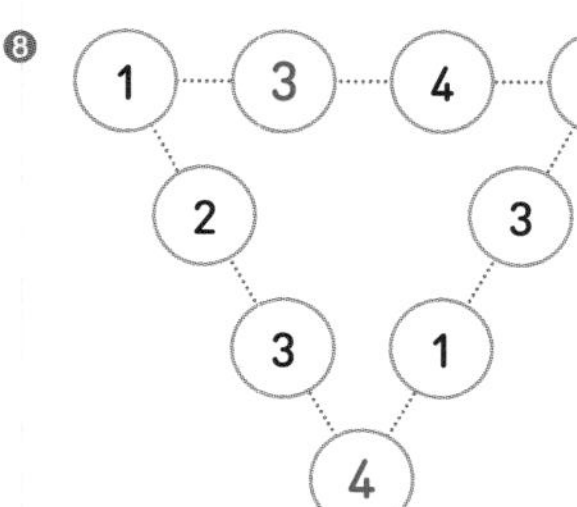

DAY 5 한 줄에 하나씩 (2)

가로줄과 세로줄에 1, 2, 3이 각각 한 번씩 들어가도록 빈칸에 알맞은 수를 써넣으세요.

1	2	3
3	1	2
2	3	1

가로줄에 1, 2, 3이 모두 들어가야 하고, 세로줄에도 1, 2, 3이 모두 들어가야 해.

❶

1	2	3
2	3	1
3	1	2

❷

1	3	2
3	2	1
2	1	3

❸

2	3	1
3	1	2
1	2	3

❹

1	2	3
3	1	2
2	3	1

지금부터는 1, 2, 3, 4가 각각 한 번씩만 들어가도록 해 보자.

❺

1	3	2	4
2	1	4	3
4	2	3	1
3	4	1	2

❻

1	2	3	4
2	3	4	1
4	1	2	3
3	4	1	2

❼

3	4	1	2
1	2	3	4
2	3	4	1
4	1	2	3

❽

3	1	2	4
2	4	3	1
4	2	1	3
1	3	4	2

3 주차

확인학습

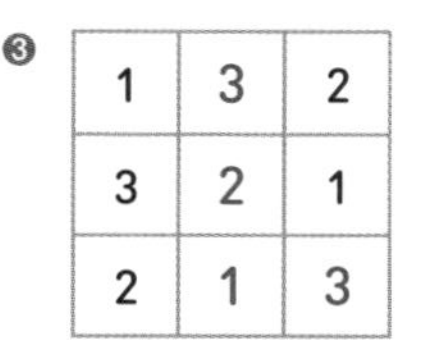

이웃한 칸의 숫자가 서로 다르도록 빈칸에 1, 2, 3을 알맞게 써넣으세요.

❶

	1	
2	3	
3	1	2

❷

1	3	
3	2	1
1	3	

가로줄과 세로줄에 1, 2, 3이 각각 한 번씩 들어가도록 빈칸에 알맞은 수를 써넣으세요.

❸

1	3	2
3	2	1
2	1	3

❹

2	1	3
1	3	2
3	2	1

4주차 수 잇기 퍼즐

DAY 1 숨은 숫자 찾기

pensées

1부터 9까지 숨어 있는 숫자를 모두 찾아 ◯표 하세요.

❶

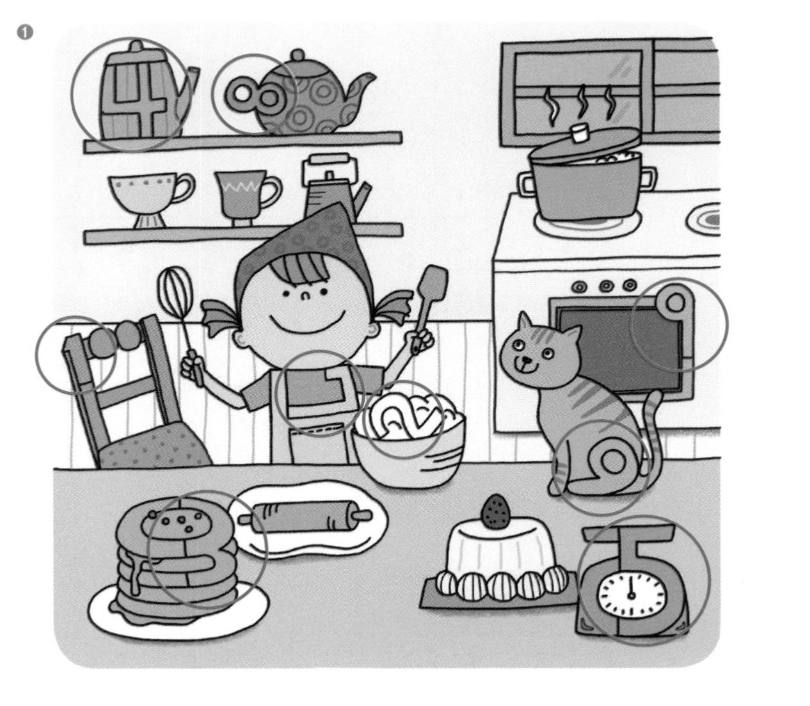

❷

그림 완성하기

순서에 맞게 1부터 9까지 순서대로 점을 이어 보세요.

❶

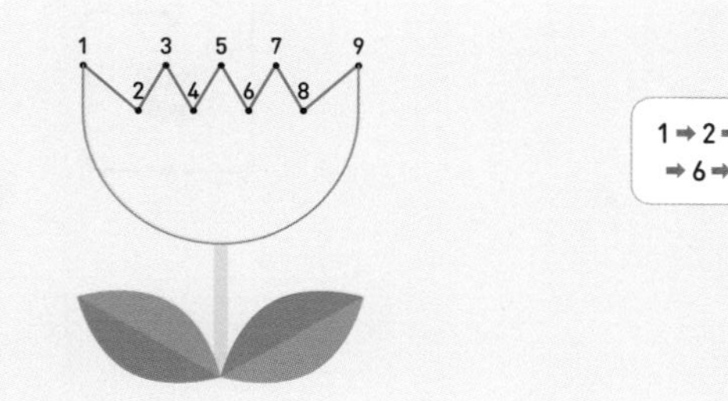

❷

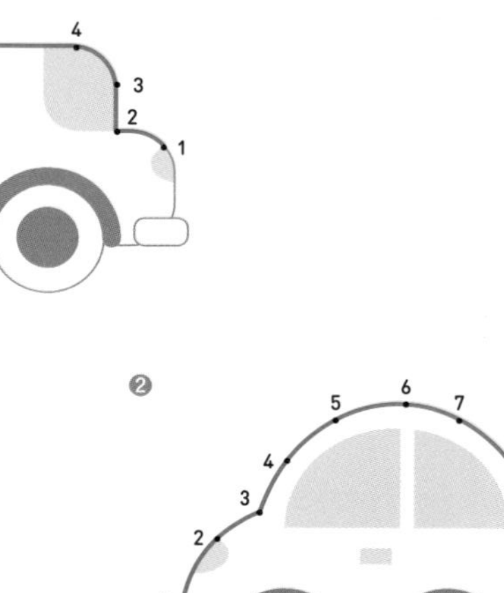

❸

❹

❺

❻

4주차 수 잇기 퍼즐

DAY 3 순서대로 수 잇기 (1)

1부터 9까지 수가 순서대로 연결되도록 가로 또는 세로 방향으로 선을 이어 보세요.

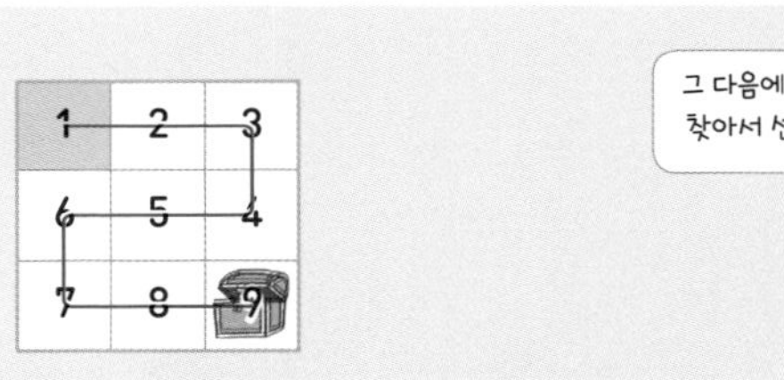

1	2	3
6	5	4
7	8	9

그 다음에 이어지는 수를 찾아서 선으로 이어 봐.

❶

1	6	7
2	5	8
3	4	9

❷

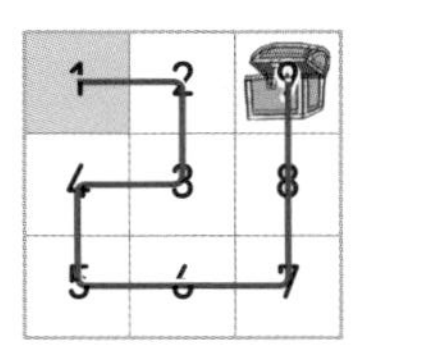

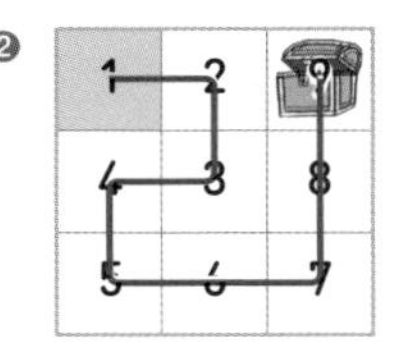

1	2	9
4	3	8
5	6	7

❸

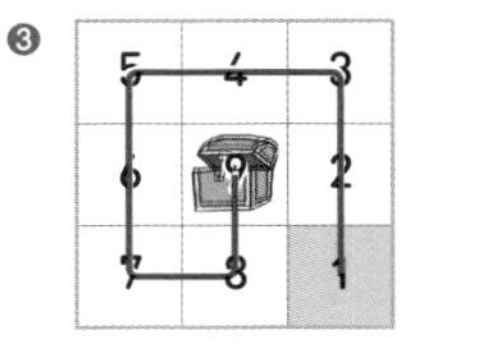

5	4	3
6	9	2
7	8	1

❹

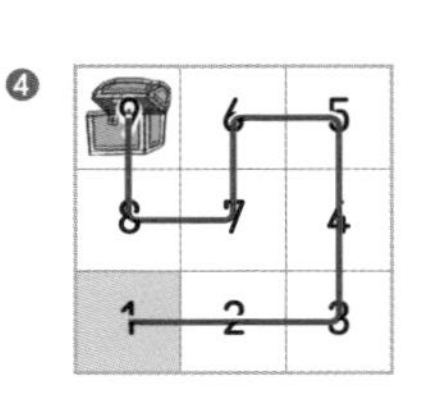

9	6	5
8	7	4
1	2	3

pensées

❺

3	2	1
4	5	6
9	8	7

❻

5	6	7
4	9	8
3	2	1

❼

3	2	9
4	1	8
5	6	7

❽

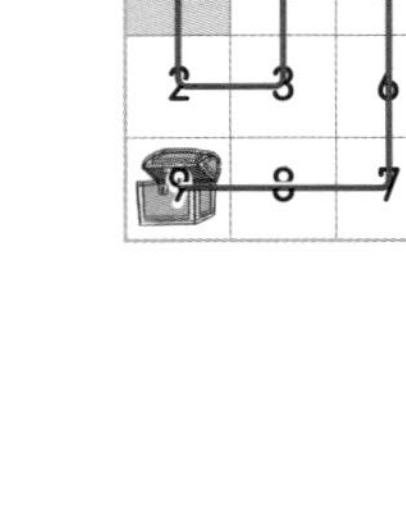

1	4	5
2	3	6
9	8	7

❾

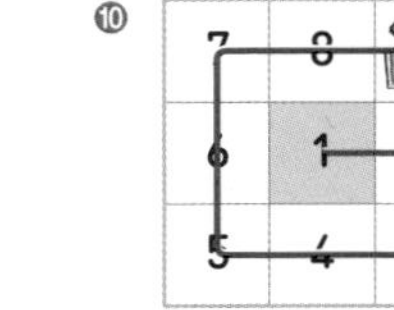

5	4	3
6	7	2
9	8	1

❿

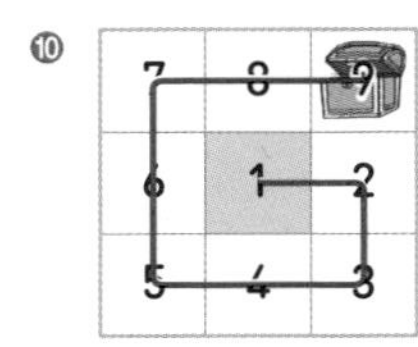

7	8	9
6	1	2
5	4	3

DAY 4 순서대로 수 잇기 (2)

1부터 9까지 수가 순서대로 연결되도록 가로 또는 세로 방향으로 선을 이어 보세요.

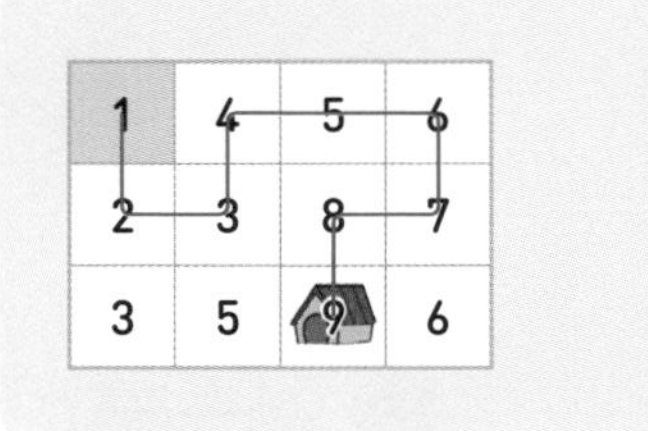

1	4	5	6
2	3	8	7
3	5	9	6

❶

1	4	9	8
2	3	7	7
6	4	5	6

❷

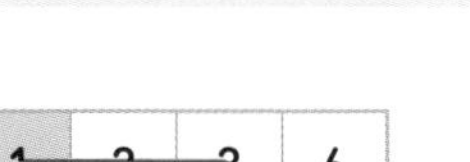
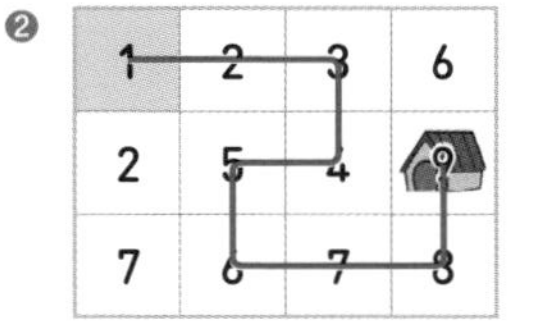

1	2	3	6
2	5	4	9
7	6	7	8

❸

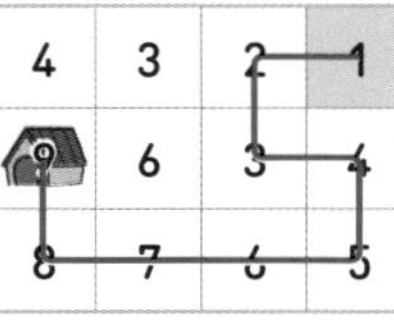

4	3	2	1
9	6	3	4
8	7	6	5

❹

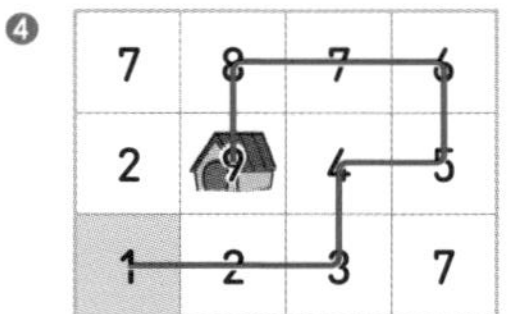
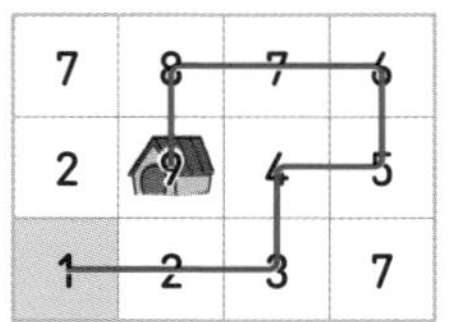

7	8	7	6
2	9	4	5
1	2	3	7

❺

1	2	3	5
3	3	5	4
5	4	8	7
6	7	8	9

❻

1	2	9	6
2	4	8	7
3	4	5	6
4	6	6	8

❼

6	4	3	1
9	4	3	2
8	8	4	5
7	6	5	7

❽

7	7	6	7
3	5	5	6
2	3	4	7
1	3	9	8

4주차 수 잇기 퍼즐

DAY 5 순서대로 수 잇기 (3)

1부터 9까지 수를 읽은 것을 나타낸 것입니다. 수가 순서대로 연결되도록 가로 또는 세로 방향으로 선을 이어 보세요.

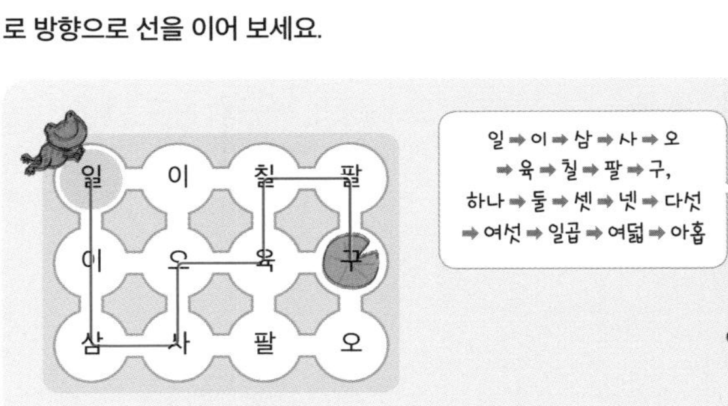

일 ➡ 이 ➡ 삼 ➡ 사 ➡ 오
➡ 육 ➡ 칠 ➡ 팔 ➡ 구,
하나 ➡ 둘 ➡ 셋 ➡ 넷 ➡ 다섯
➡ 여섯 ➡ 일곱 ➡ 여덟 ➡ 아홉

❶

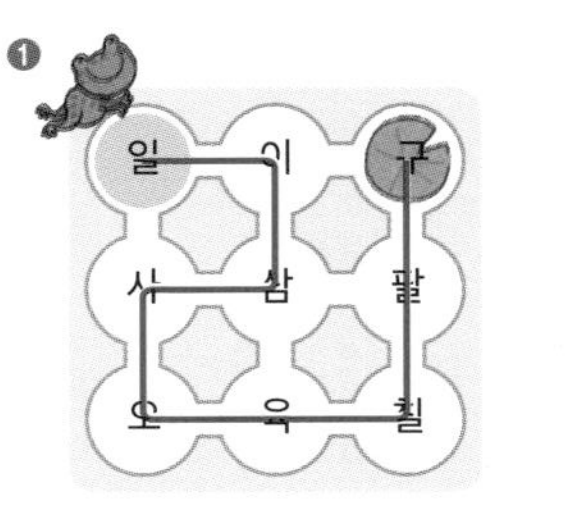

❷

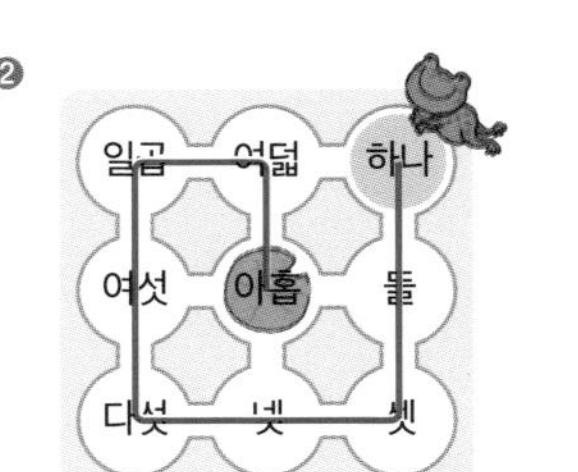

❸

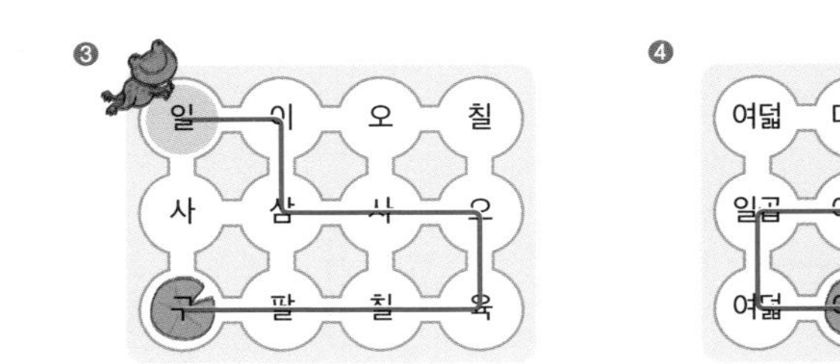

❹

여덟 다섯 넷 다섯
일곱 여섯 셋 둘
여덟 아홉 넷 하나

❺

사 오 육 오
삼 팔 칠 팔
이 삼 육 구
일 오 칠 팔

❻

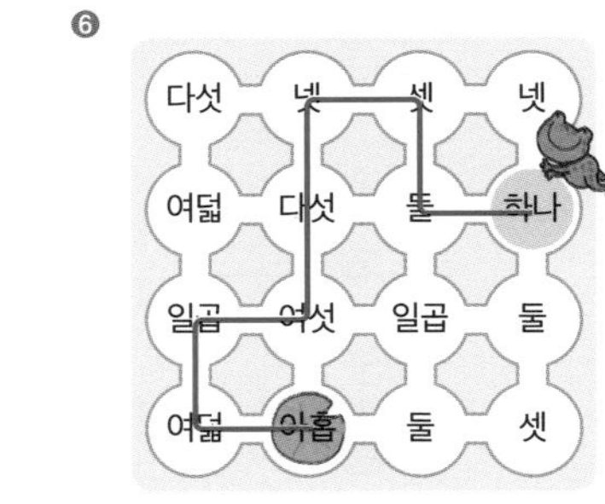

4 주차

확인학습

1부터 9까지 수가 순서대로 연결되도록 가로 또는 세로 방향으로 선을 이어 보세요.

❶

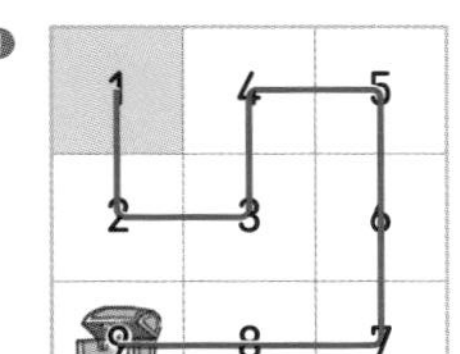

❷

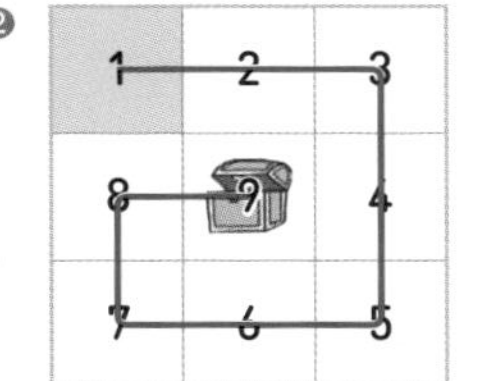

1부터 9까지 수를 읽은 것을 나타낸 것입니다. 수가 순서대로 연결되도록 가로 또는 세로 방향으로 선을 이어 보세요.

❸

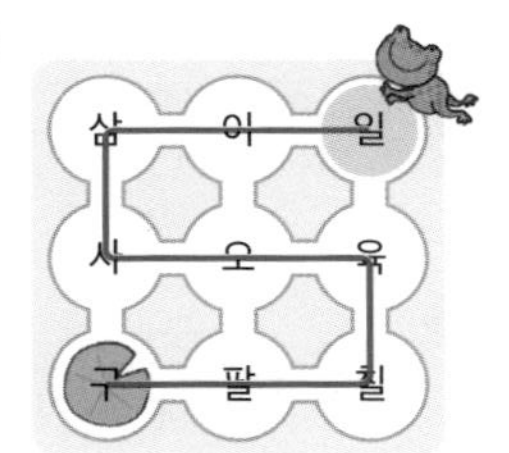

❹

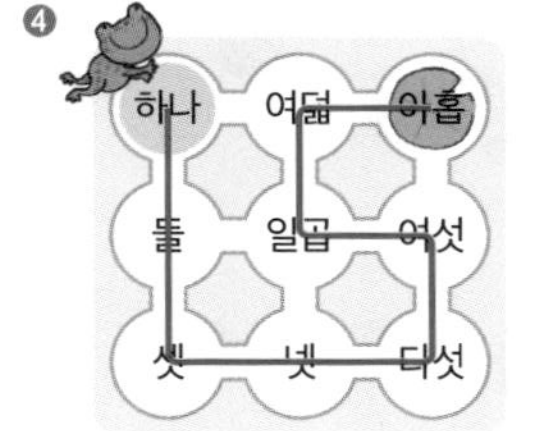

일 ➡ 이 ➡ 삼 ➡ 사 ➡ 오 ➡ 육 ➡ 칠 ➡ 팔 ➡ 구

하나 ➡ 둘 ➡ 셋 ➡ 넷 ➡ 다섯 ➡ 여섯 ➡ 일곱 ➡ 여덟 ➡ 아홉

마무리 평가

TEST 1 마무리 평가

제한 시간 15분
맞은 개수 / 9개

✤ 친구들이 길을 따라가며 한 종류의 과일을 가져갑니다. 가져가는 과일의 개수를 쓰세요.

❶ ❷ ❸

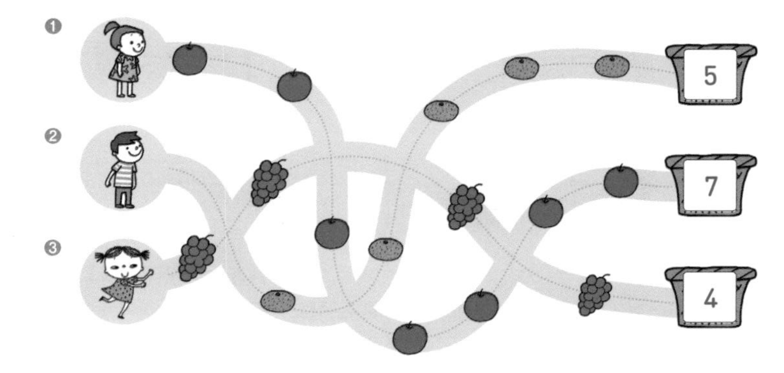

✤ 다람쥐가 곰을 피해 모든 방을 한 번씩 지나 도토리까지 가는 길을 그려 보세요.

❹ ❺

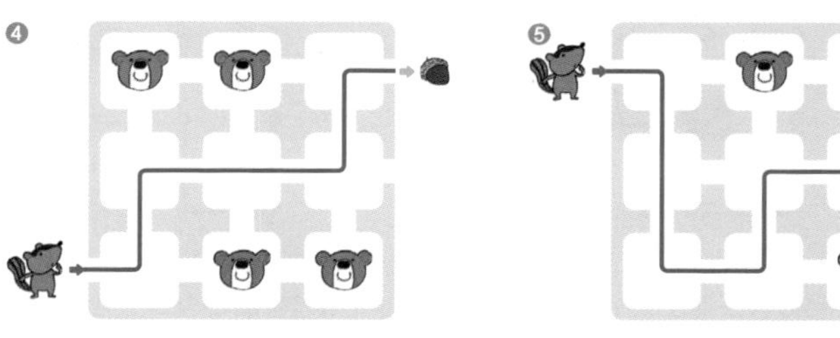

✤ 한 줄에 1, 2, 3이 각각 한 번씩만 들어가도록 ◯ 안에 알맞은 수를 써넣으세요.

❻

1	2	3
3		2
2	3	1

❼

1	3	2
3		3
2	3	1

✤ 1부터 9까지 수가 순서대로 연결되도록 가로 또는 세로 방향으로 선을 이어 보세요.

❽

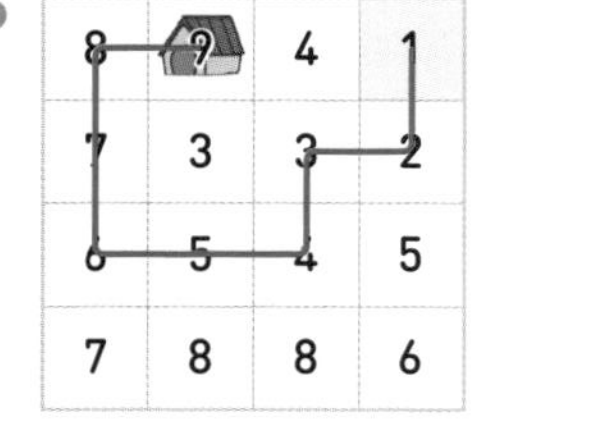

8	9	4	1
7	3	3	2
6	5	4	5
7	8	8	6

❾

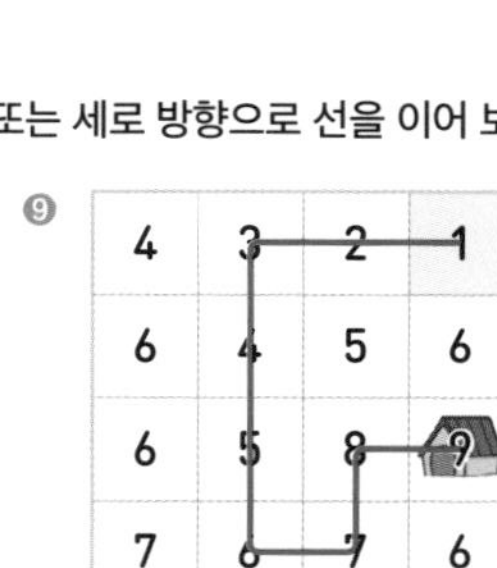
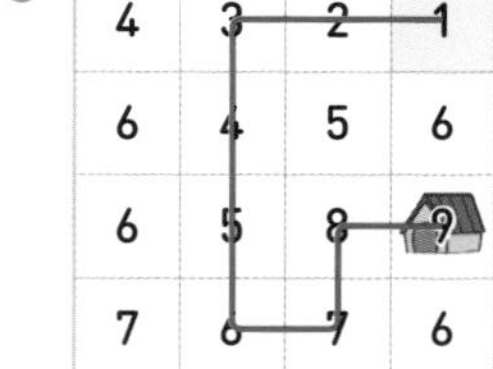

4	3	2	1
6	4	5	6
6	5	8	9
7	6	7	6

TEST 2 마무리 평가

pensées

제한 시간 15분
맞은 개수 / 8개

✤ 다람쥐가 선을 따라 가져가는 도토리의 수를 □ 안에 써넣으세요.

❶

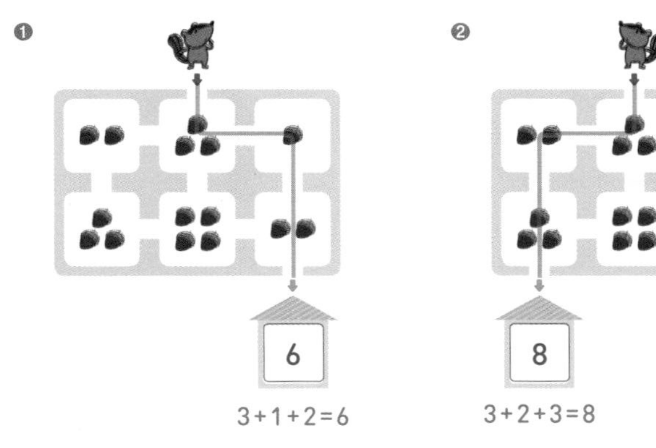

6

3+1+2=6

❷

8

3+2+3=8

✤ 미로를 통과하는 길을 선으로 나타내세요.

❸

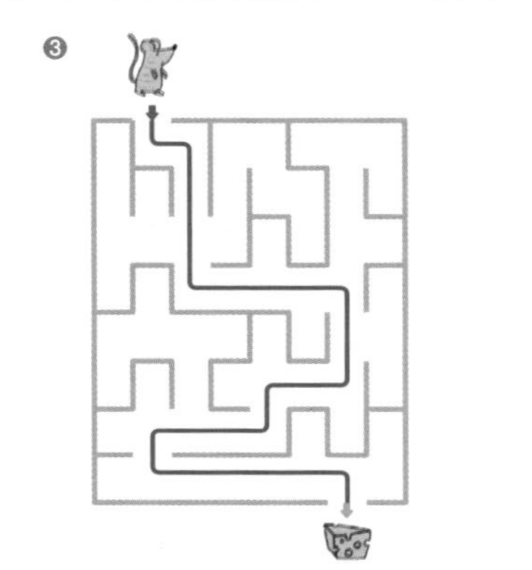

❹

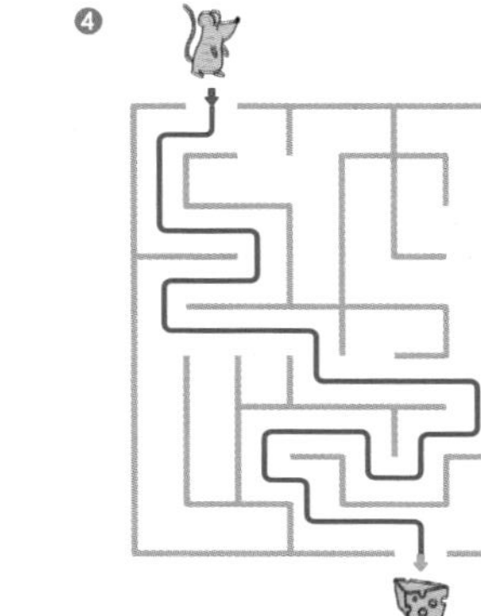

✤ 가로줄과 세로줄에 1, 2, 3이 각각 한 번씩 들어가도록 빈칸에 알맞은 수를 써넣으세요.

❺

1	3	2
2	1	3
3	2	1

❻

3	1	2
1	2	3
2	3	1

✤ 1부터 9까지 수를 읽은 것을 나타낸 것입니다. 수가 순서대로 연결되도록 가로 또는 세로 방향으로 선을 이어 보세요.

❼

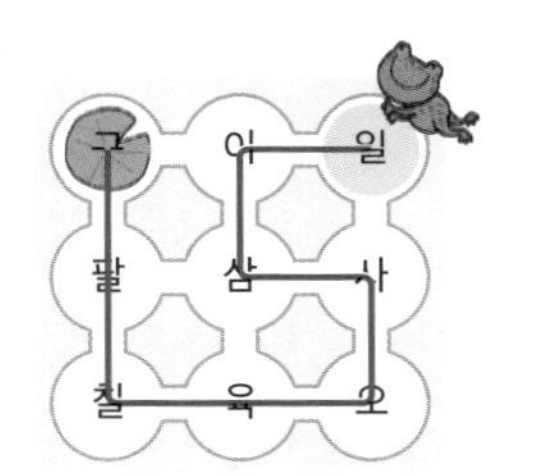

❽

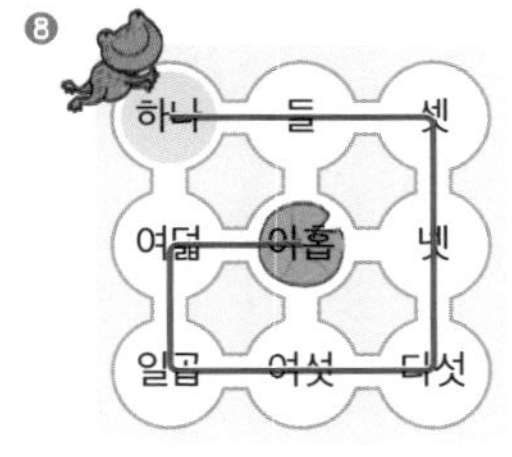

마무리 평가

TEST 3 마무리 평가

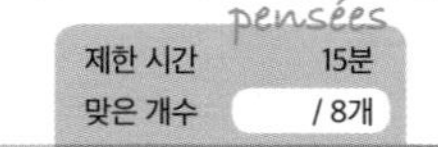

✥ 토끼가 원하는 개수만큼의 당근을 모아 집으로 가는 길을 그려 보세요.

❶

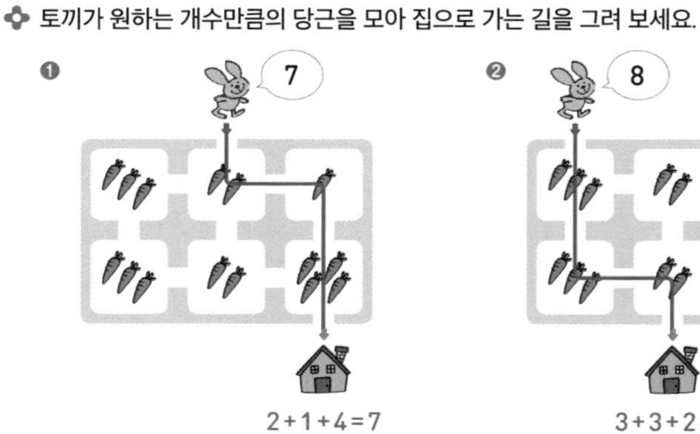

2+1+4=7

❷

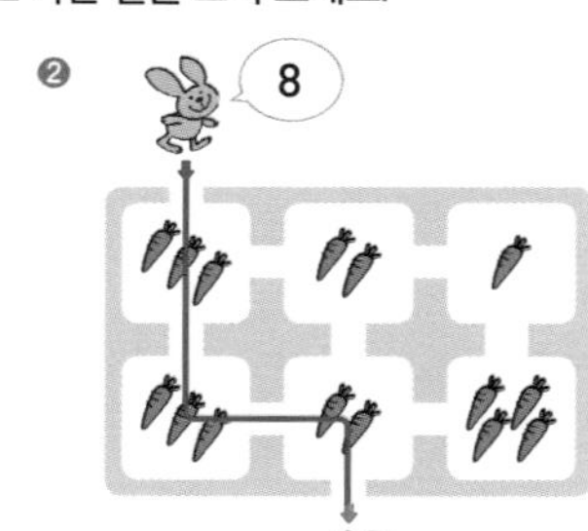

3+3+2=8

✥ 관계있는 것끼리 선을 이으세요. 단, 선은 서로 겹치지 않고 모든 칸을 지나야 합니다.

❸

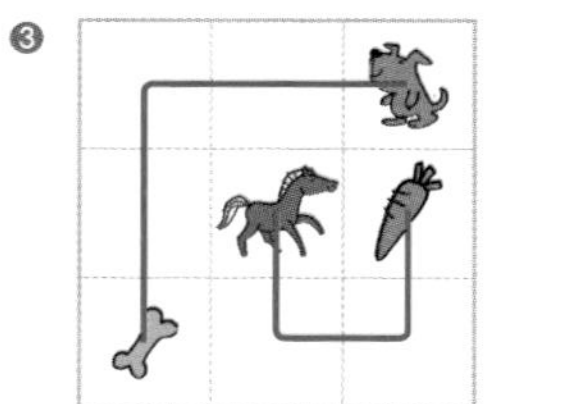

말은 당근을, 강아지는 뼈다귀를 좋아합니다.

❹

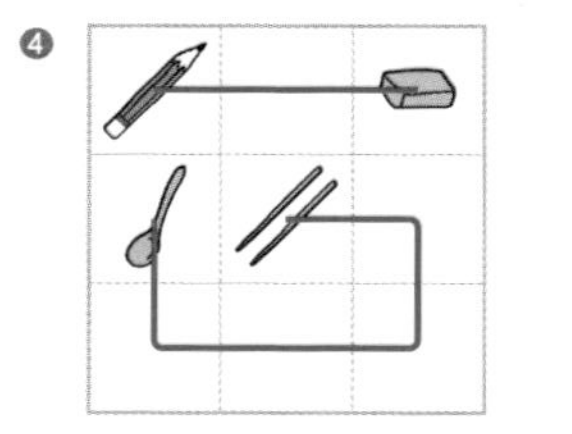

(연필과 지우개), (숟가락과 젓가락)으로 짝을 지을 수 있습니다.

✥ 이웃한 칸의 숫자가 서로 다르도록 빈칸에 1, 2를 알맞게 써넣으세요.

❺

2	1	2	1
1	2	1	
2	1		
1			

❻

2			1
	1	2	
	2	1	
1			2

✥ 순서에 맞게 1부터 9까지 순서대로 점을 이어 보세요.

❼

❽

TEST 4 마무리 평가

제한 시간 15분
맞은 개수 / 8개

✤ 다람쥐가 선을 따라 가져가는 도토리의 수를 □ 안에 써넣으세요.

❶

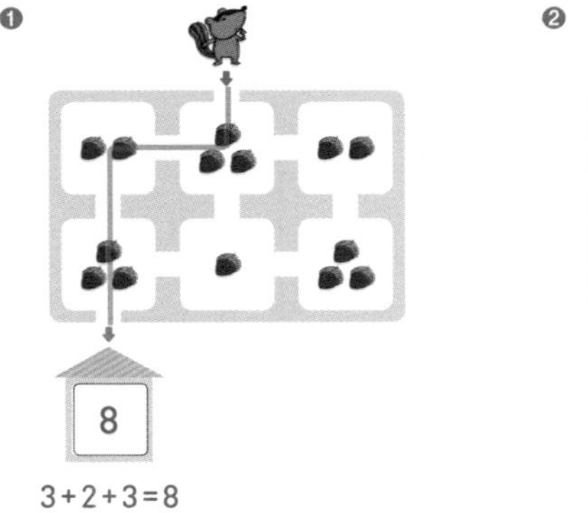

8

$3+2+3=8$

❷

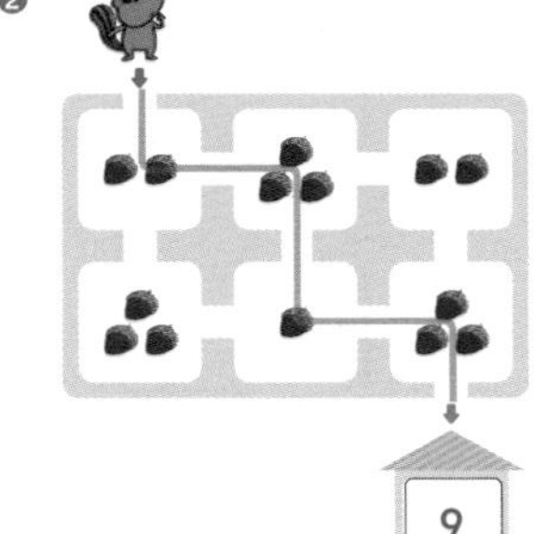

9

$2+3+1+3=9$

✤ 토끼가 호랑이를 피해 모든 방을 한 번씩 지나 당근까지 가는 길을 그려 보세요.

❸

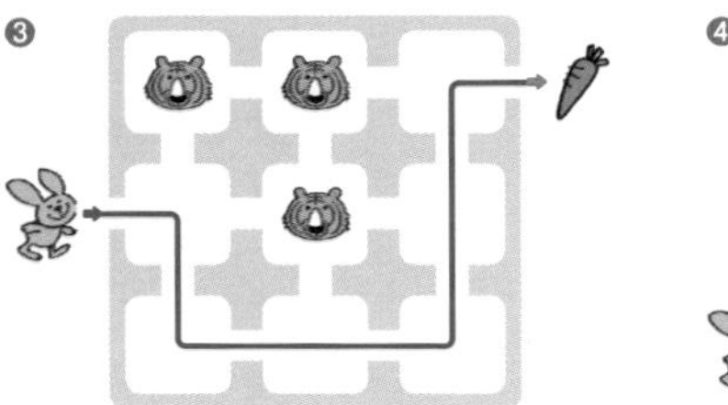

❹

✤ 이웃한 칸의 숫자가 서로 다르도록 빈칸에 1, 2, 3을 알맞게 써넣으세요.

❺ 3, 1, 2, 1, 3, 2

❻ 2, 3, 1, 1, 2, 3

✤ 1부터 9까지 수가 순서대로 연결되도록 가로 또는 세로 방향으로 선을 이어 보세요.

❼

7	6	5
8	3	4
9	2	1

❽

3	2	9
4	1	8
5	6	7

마무리 평가

TEST 5 마무리 평가

✤ 토끼가 원하는 개수만큼의 당근을 모아 집으로 가는 길을 그려 보세요.

❶ ❷

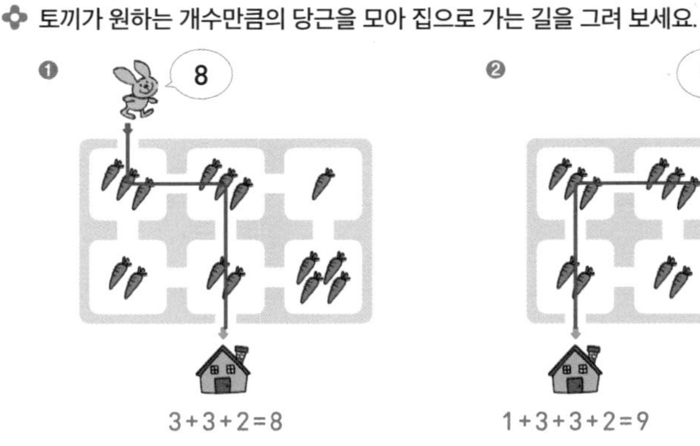

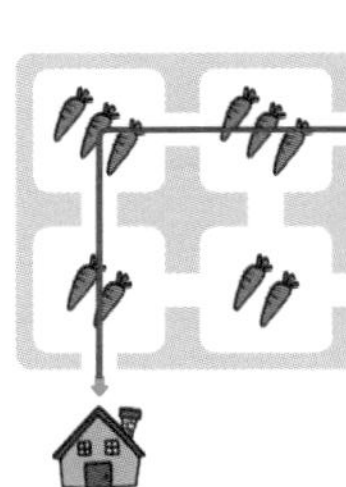

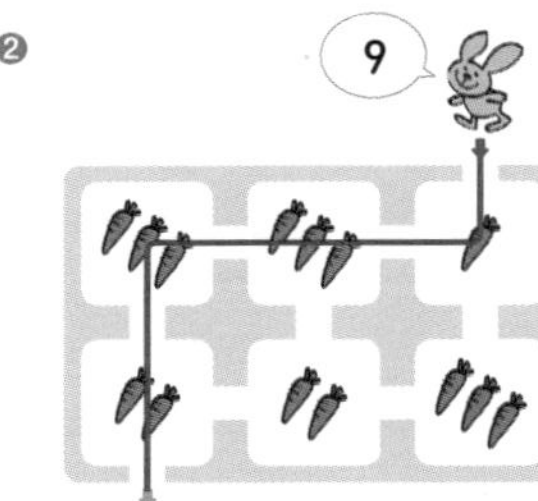

3+3+2=8

1+3+3+2=9

✤ 관계있는 것끼리 선을 이으세요. 단, 선은 서로 겹치지 않고 모든 칸을 지나야 합니다.

❸

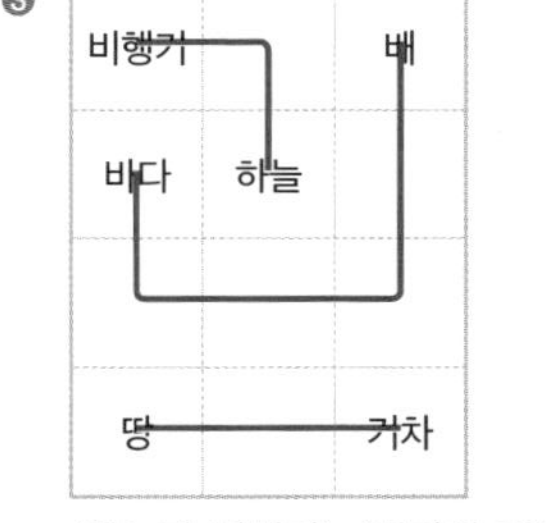

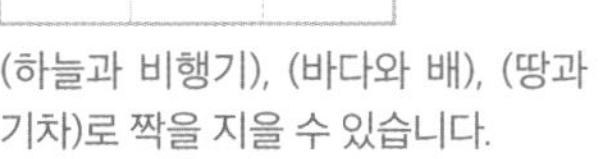

(하늘과 비행기), (바다와 배), (땅과 기차)로 짝을 지을 수 있습니다.

❹

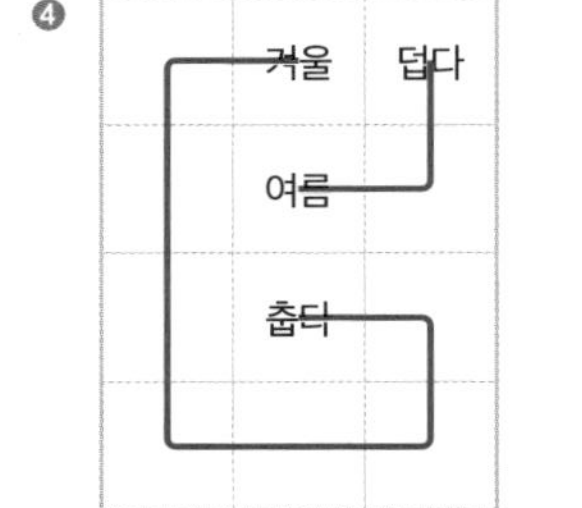

여름은 덥고, 겨울은 춥습니다.

또는 계절은 계절끼리, 표현은 표현끼리 이을 수 있습니다.

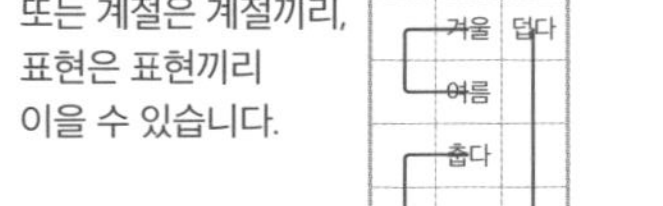

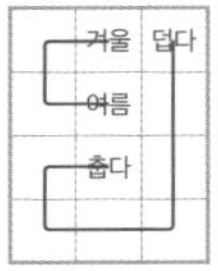

제한 시간 15분
맞은 개수 / 8개

✤ 가로줄과 세로줄에 1, 2, 3, 4가 각각 한 번씩 들어가도록 빈칸에 알맞은 수를 써넣으세요.

❺

1	4	2	3
2	3	4	1
4	1	3	2
3	2	1	4

❻

2	3	4	1
1	2	3	4
4	1	2	3
3	4	1	2

✤ 1부터 9까지 수를 읽은 것을 나타낸 것입니다. 수가 순서대로 연결되도록 가로 또는 세로 방향으로 선을 이어 보세요.

❼

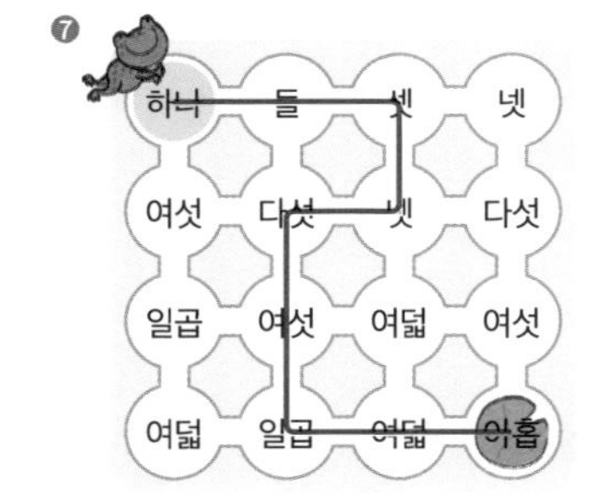

❽

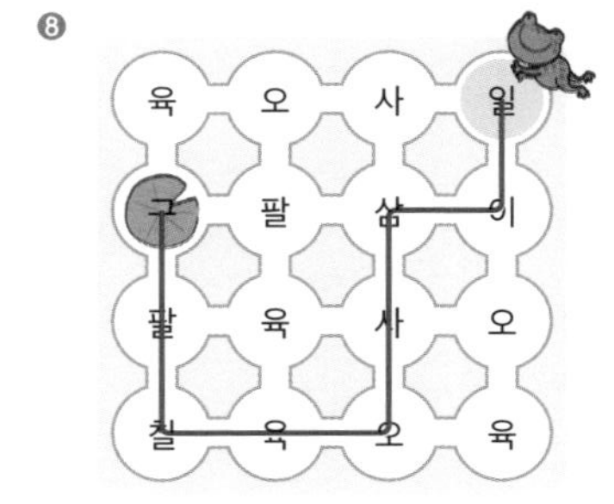

pensées

pensées

씨투엠 지식과상상 since 2013 연구소

교재 소개 및 난이도 안내

*일부 교재 출시 예정입니다.

Man is but a reed,
the most feeble thing in nature;
but he is a thinking reed,

"인간은 자연에서 가장 연약한 갈대에 불과하다.
하지만 인간은 생각하는 갈대이다."

Blaise Pascal, 블레즈 파스칼